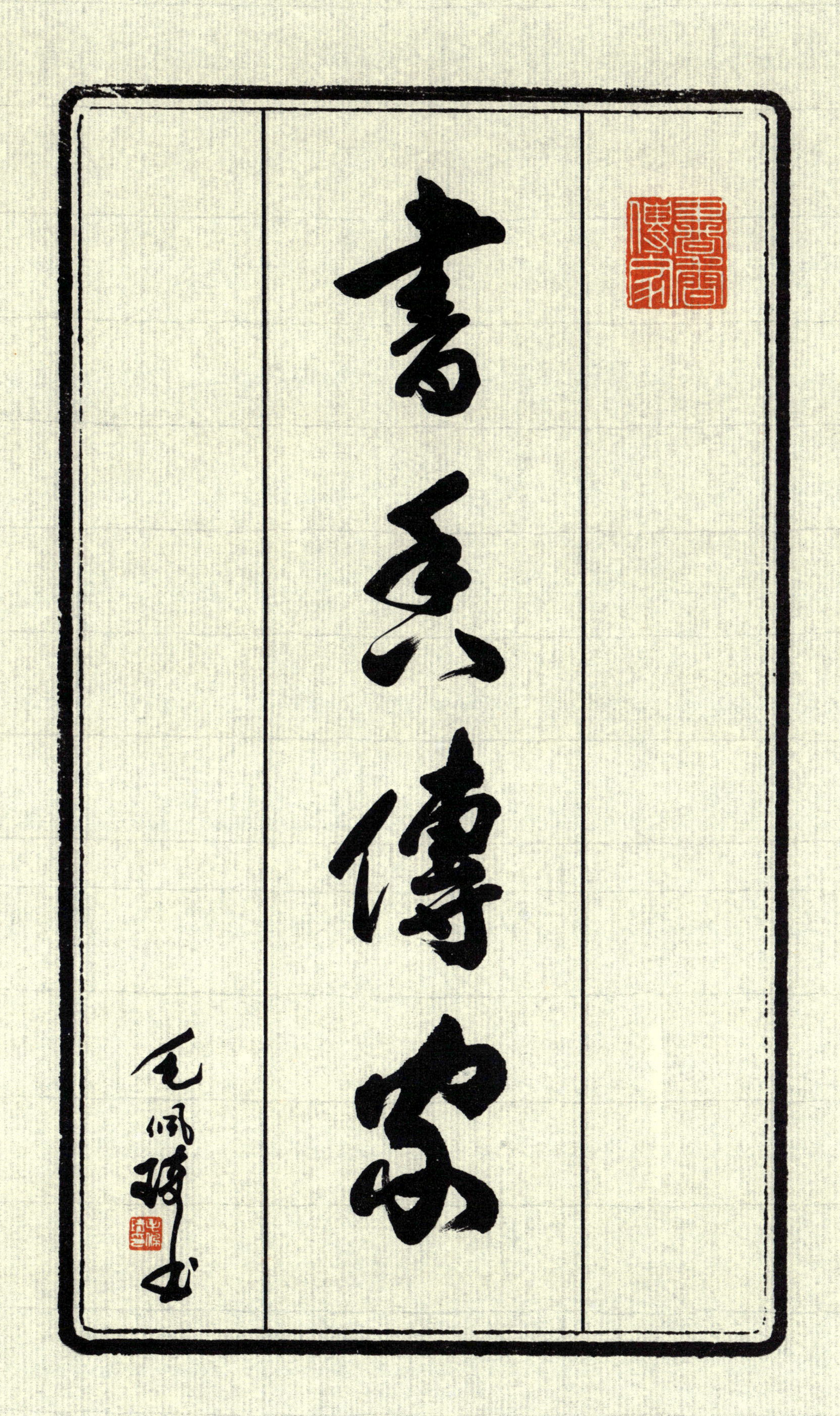
書香傳家
毛佩琦书

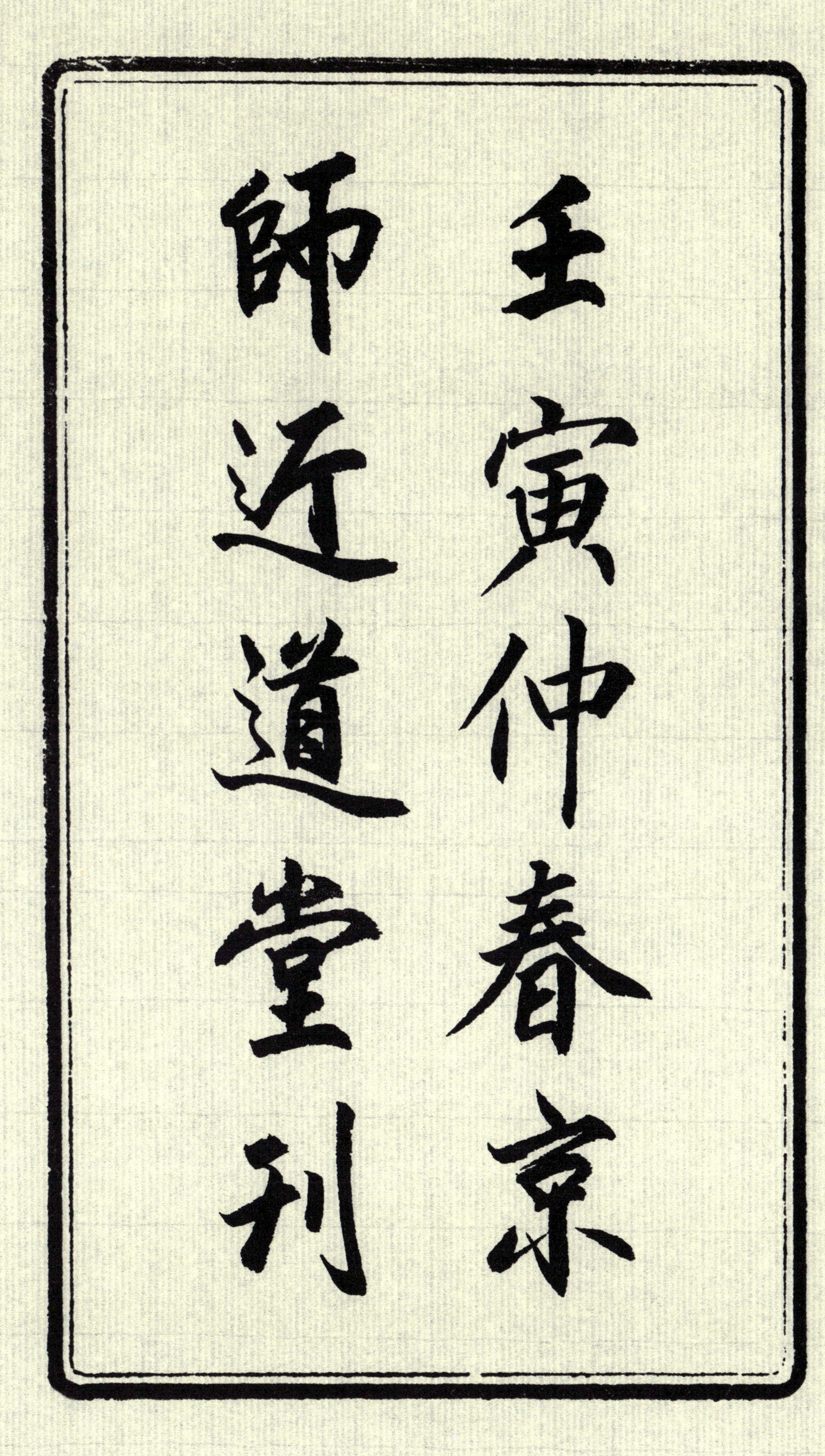
壬寅仲春京
師近道堂刊

人間詞話

第一冊

王國維 著
崇賢書院 釋譯

北京聯合出版公司

書香傳家系列圖書學術顧問

樓宇烈（資深國學名家、北京大學哲學系教授）
閻崇年（著名歷史學家、央視《百家講壇》主講人）
毛佩琦（中國人民大學歷史系教授）
王守常（北京大學哲學系教授）
任德山（人文學者、央視有綫173書畫頻道主講人）
呂宇斐（中國美術學院視覺中國協同創新中心客座教授、研究生導師）
孟憲實（中國人民大學歷史系副教授）
楊朝明（原中國孔子研究院院長、原國際儒學聯合會副理事長）
董平（浙江大學哲學系教授）
杜保瑞（上海交通大學特聘教授、臺灣大學哲學系教授）
張辛（人文書法家、北京大學考古文博學院教授）
辛德勇（北京大學中國古代史研究中心教授）
余世存（文化學者、暢銷書作家）

書香傳家

學術顧問
編纂委員會

編委會

書香傳家系列圖書出版編纂委員會

主編

李克（崇賢館館長）

叢書題字

毛佩琦（中國人民大學歷史系教授）

裝幀設計

孫世良　周亮　楊延京

出版編輯委員會

路茸　王德重　李宏濤　黄玉蘭　譚爽　張少華

排版製作

趙樂紅　趙軍安　朱澤

前言

王國維（一八七七—一九二七），字伯隅、靜安，號觀堂、永觀，清末秀才，我國近現代國學大師，在文學、美學、史學、哲學、古文字學、考古學等各方面均有高深的造詣。他在我國近代最早開始運用西方哲學、美學、文學觀點和方法對中國古典文學進行評論分析，一生著述共六十二種，批校古籍兩百餘種。

《人間詞話》被稱爲「一部劃時代的作品」，王國維吸收了康德和叔本華的美學思想，將西方美學與中國古典美學融會貫通，構成了一個比較完整的理論體系，既有理論的總體闡發，也有對作品的具體分析論證。該書采用傳統評點式的詞話形式，以「境界説」爲核心，認爲「詞以境界爲上」，并進一步辨析了寫境與造境、有我之境與無我之境、景語與情語的不同。另外，作者就作家修養、創作方法等問題也發表了精辟的見解。

《人間詞話》不僅對文學、美學和創作有充分的闡釋，對人生也

有深刻的啓示，是一部富有思想性的作品。王國維在書中提出了著名的人生三境界：「古今之成大事業、大學問者，必經過三種之境界：『昨夜西風凋碧樹。獨上高樓，望盡天涯路。』此第一境也。『衣帶漸寬終不悔，爲伊消得人憔悴。』此第二境也。『衆里尋他千百度，驀然回首，那人卻在燈火闌珊處。』此第三境也。」這位美學大師以三句詞將人生之路精妙道破，最初的迷惘，繼起的執著和最終的頓悟爲人們照亮了一條去路，所謂的成功之道相信也一定如此。他所總結的人生規律及顯現出的智慧令人折服。

《人間詞話》自一九〇八年在《國粹學報》上公開發表以來，頗受關注。我們重新編輯出版此書，希望可以讓更多的人欣賞到王國維這位國學大師的經典詞學理論。全書共分爲三大部分：人間詞話、人間詞話未刊稿及刪稿、人間詞。其中「人間詞話」是經王國維手定發表於《國粹學報》的《人間詞話》六十四條。本部分是全書的重點，每條原文後均有今譯和評析，并在必要的原文後

加有大量詳細的注釋。今譯將原文譯爲明白易懂的現代文。評析對原文進行適當的解析，闡釋主要的理論觀點，進行更加深入的挖掘。注釋則對原文中提到的人物以及引用的詩詞等進行注解。「人間詞話未刊稿及删稿」是王國維《人間詞話》手稿中除去發表於《國粹學報》的全部剩餘部分，共六十二條。在此部分中幾乎每條原文後均附有今譯以及詳細的注釋。因爲此部分各條所涉及的理論觀點在「人間詞話」的評析中大體已有，故未另加評點。「人間詞」一部分，收錄了顧序、人間詞甲稿序、人間詞乙稿序，還收錄了王國維的大量詞作，以便於更加確切地理解王國維及《人間詞話》。

書香傳家系列之《人間詞話》，繼承古代傳統工藝，對接歷代版刻精華，采用宣紙印裝形式，原文字體選用清乾隆武英殿版刻書字體，以其獨特藝術性和收藏性，鶴立於信息泛濫時代。本書由畫家、版刻學家孫世良先生親自指導設計，其審美表現氣象非凡，自成一格。書籍整體裝幀選用明代綫裝書形式，同時融入現代設計元素，古樸典雅中有當代審美氣息。每個時代必有自己的經典與審美的呈現，近道堂「書香傳家系列」，集當代學者和藝術家的思想和創意之精華，致力於打造當代經典的珍稀版本，使其傳之後世。

《人間詞話》的學術意義和藝術價值毋須多言，希望此次出版，能夠爲學者提供方便，使藏家多一珍品，愈加體現原作的珍貴價值。

近道堂

辛丑季冬記於京師

目錄

一

詞以境界爲最上。有境界則自成高格，自有名句。五代北宋之詞所以獨絕者在此。

今譯 詞以境界爲最高審美標準。詞有了境界就自然會形成高絕的格調，自然會產生絕妙的名句。五代和北宋的詞之所以精彩絕倫就在于此。

評點·賞析 境界，也可以稱爲意境，是中國美學和文藝理論的重要範疇之一，這裏的境界，可以理解爲詩詞作家通過主觀把握而創造出來的藝術存在，它不是單純的「景」，而是「情」「景」二者交融匯聚的產物，即客觀的景物和主觀的思想感情在作品中鮮明、形象的表現，情與景的統一。

我國古代的詩詞一如我們的國畫，講究意境的創設，以爲衹有情景交融的意境，才能使讀者產生「象外之象」「景外之景」「韻外之致」「味外之旨」的聯想和想象，獲得獨特的審美體驗，王國維先生在這裏將境界作爲其文論的關鍵詞，可以説正好抓住了這條主脈。

境界説是王國維文藝理論的重要組成部分，在下面的行文中有很多的篇幅，屆時我們將具體論述。

二

有造境，有寫境，此理想與寫實二派之所由分。然二者頗難分別。因大詩人所造之境，必合乎自然，所寫之境，亦必鄰于理想故也。

今譯 作者筆端所展現的境界，有通過想象虛構的，也有描寫現實的，這正是理想與寫實二派的區別所在。但是二者實際上很難分辨。因爲大詩人所創造出來的境界必然合乎自然，所描寫出來的境界必然近于理想。

評點·賞析 所謂「造境」，主要是依照想象、虛構、誇張的藝術手法創造的意境，突出作者的主觀情感的抒發和理想圖景的刻畫，所謂「寫境」，則是通過對現實人生的忠實描寫、再現和創造的意境，它們雖然都來自于「自然及人生」，但是由于内容的側重面和表現方法的不同，由此而產生了「理想」和「寫實」兩個不同的流派，而這兩個不同的流派，其實就是我們今天所說的文學上的「現實主義」和「浪漫主義」的二分。

大文學家主觀營造出來的境界其實是以對現實世界的細緻觀察和真實感悟爲基礎的，而他們所描寫的現實，也必然經過了主觀情感的加工和提煉，正因爲如此，他們的作品所展現的境界，無論從形態還是本質看來，其實都是無從辨别也沒有必要區分的，王國維先生創設這種二分，意在指出：在境界的創設過程中存在兩種不同的手法，這兩種不同的創作方法是理想與現實兩大派分流的起點。

可堪孤館閉春寒語出秦觀踏莎行此詞表達了羈旅之愁思

三

有有我之境，有無我之境。「淚眼問花花不語，亂紅飛過秋千去」①，「可堪孤館閉春寒，杜鵑聲裏斜陽暮」②，有我之境也。「采菊東籬下，悠然見南山」③，「寒波澹澹起，白鳥悠悠下」④，無我之境也。有我之境，以我觀物，故物皆著我之色彩。無我之境，以物觀物，故不知何者爲我，何者爲物。古人爲詞，寫有我之境者爲多，然未始不能寫無我之境，此在豪傑之士能自樹立耳。

注釋

①馮延巳《鵲踏枝》：（一作歐陽修《蝶戀花》）庭院深深深幾許？楊柳堆煙，簾幕無重數。玉勒雕鞍游冶處，樓高不見章臺路。　雨横風狂三月暮，門掩黄昏，無計留春住。淚眼問花花不語，亂紅飛過秋千去。②秦觀《踏莎行》：霧失樓臺，月迷津度，桃源望斷無尋處。可堪孤館閉春寒，杜鵑聲裏斜陽暮。　驛寄梅花，魚傳尺素，砌成此恨無重數。郴江幸自繞郴山，爲誰流下瀟湘去！　③陶潛《飲酒》二十首之五：結廬在人境，而無車馬喧。問君何能爾，心遠地自偏。采菊東籬下，悠然見南山。山氣日夕佳，飛鳥相與還。此中有真意，欲辨已忘言。④元好問《穎亭留别》：故人重分攜，臨流駐歸駕。乾坤展清眺，萬景若相借。北風三日雪，太素秉元化。九山鬱峥嶸，了不受陵跨。寒波澹澹起，白鳥悠悠下。懷歸人自急，物態本閑暇。壺觴負吟嘯，塵土足悲咤。回首亭中人，平林淡如畫。

今譯

境界又分爲「有我之境」和「無我之境」。「淚眼問花花不語，亂紅飛過秋千去」，「可堪孤館閉春寒，杜鵑聲裏斜陽暮」，這是「有我之境」。「采菊東籬下，悠然見南山」，「寒波澹澹起，白鳥悠悠下」，這是無我之境。有我之境，以我觀物，所以外物都染上了我的感情色彩。無我之境，以物觀物，所以分不清什麼是我，什麼是物。古人作詞，寫有我之境的是多數，然而未嘗不能寫無我之境，這全在于傑出的詩人敢于獨樹一幟。

評點·賞析

「有我之境」和「無我之境」是王國維先生境界說的重要組成部分，也是引起學術界較多討論的論點之一，這裏需要著重指出的一點是：作者對于「有我之境」和「無我之境」中的「有」「無」的二分，並不是在絕對意義上的，而祇是一組相對而言的範疇，按照吳洋先生在《人間詞話手稿本全編》中的觀點：「有我之境」的要點在于「以我觀物」，也即從主體的情感出發對客體的存在進行加工和整理，客體存在的意義即在于對主體的言說，一切外物都成爲內在情感的表象，主體在這裏被絕對放大。而「無我之境」的要點則在于「以物觀物」，這時的主體處于一種近似于物的靜觀心境，它不像「有我之境」那樣急于進行自我表達，相反它盡力恢復客體存在的真實性，並力圖從這種客觀存在中尋找寧靜，從而使主體能夠在客體的參照下獲得永恆的意義和存在的喜悅，這時主體的意識被客體化，得到了能夠被自身觀照的奇妙角度，客體在這裏被無限地放大了。然而無論是「有我之境」還是「無我之境」，「我」的存在和「我」的視點都是無法被抹去的，它們能夠做到絕對的主觀，卻無法做到絕對的客觀，二者的區別也許在更大程度上是動與靜的區別。

還需要指出的是，王國維先生受叔本華的哲學思想影響較大，學術界認爲這一論斷亦然：叔本華認爲，人都是有意欲的，祇有絕滅欲念才是最高的解脫。一般的作者面對現實，總難免以我觀物，感到與客觀的對立，常常寫成有我之境的作品。如果在思想上滅絕欲念，則能達到「不以物喜，不以己悲」，物我相忘的境界，而寫成無我之境的作品。聯係到對我國古代影響最大的儒家的「入世」和道家的「出世」思想，我們不難發現，古代文人志士因「入世」的責任感或不同的際遇，多有或雄壯、或悲苦、或嗟嘆、或抨擊的文字，表現了強烈的我情我性，因而「有我之境」成爲創作的主流；而如陶淵明般早已曾經滄海看破世情的「出世」者，則在田園生活中培養出了淡泊恬適的心境，因而經常沈浸在物我兩忘的境地中，寫出「無我之境」的作品也就在意料之中了。

四

無我之境，人惟於靜①中得之。有我之境，於由動之靜時得之。故一優美，一宏壯②也。

注釋　①靜：指寧靜直觀的狀態。②宏壯：現在一般通稱爲「壯美」，王國維先生在其著名的論文《紅樓夢評論》，以及《叔本華之哲學及其教育學說》等論著中都寫作「壯美」。

今譯　無我之境，詩人衹有在感情平靜的時候才能夠得到。有我之境，在從激動轉向平靜的時候得到。所以一種境界優美，一種境界壯美。

評點·賞析　「無我之境」也就是「優美之境」，它是詩人完全超脫功利之時，感情爲客觀自然所感受，這時的創作主體在審美時對外物采取一種靜觀的態度，全力沈浸于外物之中，不覺忘記自己的存在，這時獲取的審美

意象而產生的境界；與之相對的「有我之境」則是詩人存在功利的觀念，且以此觀照外物，從而使得外物的感情色彩隨著詩人的感情的變化而變化，此時獲得的情感體驗在詩人事後情緒由動及靜時記錄下來。由于前者是詩人在心境寧靜時所領略的外物之美，故而稱爲「優美」，而後者則是詩人在受到外物的壓迫卻又難以抗拒時所造成的凄愴痛苦感情之美，故稱爲「壯美」。

另外我們還可以結合王國維先生在《叔本華之哲學及其教育學說》一文中提到的「美之中又有優美與壯美之別。今有一物，令人忘利害之關係，而玩之不厭者，謂之曰優美之感情。若其物不利于吾人之意志，而意志爲之破裂，唯由知識冥想其理念者，謂之曰壯美之感情」來加深對這段話的理解。

五

自然中之物，互相關係，互相限制①。然其寫之於文學及美術②中也，必遺其關係、限制之處。故雖寫實家，亦理想家也。又雖如何

材料來源於自然

虛構之境，其材料必求之於自然，而其構造亦必從自然之法則。故雖理想家，亦寫實家也。

注釋 ①互相關係，互相限制：王國維先生在《汗德（今譯爲康德）之「知識論」》中曾寫道：「然現象之世界，于其空間及時間之關係無限也，故知其限制者之全體，實非易易。蓋範疇者，乃一切現象相關關係之原理。而欲知各現象之限制之性質，不可不由他現象；而此他現象，復由他現象限制之。如此相互限制，以至于無窮……」我們可以從這段話中理解這兩句的意思。

②美術：指藝術。

今譯 自然中的事物，互相關係，互相限制。但是要將自然中的事物表現于文學中，必然要捨棄它們的聯係和制約狀態。所以即便是寫實家也同樣會是理想家。另一方面，不管怎樣虛構的境界，它的材料必然來源于自然，並且它的結構也必然要服從自然的法則。所以即使是理想家也同樣是寫實家。

評點·賞析 這則應該與第二則對照閱讀理解，它們都是關于「理想」與「寫實」「造境」與「寫境」在藝術創作中微妙關係的深層闡述，是「境界說」的重要組成部分。

這則文論同樣也在學術界有較大的争論，不少學者認爲「遺其關係、限制之處」的說法有很大的片面性，筆者認爲，造成這種觀點的原因在于對于文中的「互相關係，互相限制」產生了誤讀。如上面注釋①所說，王國維先生持一種近似馬克思辯證法的觀點，認爲事物之間都具有聯係性，而且這種聯係性是無窮的，沒有人能夠用文字窮之，寫實家也在此列，因而其寫實的文字也並不是這個意義上的「實」，蘊涵了作者的主觀加工，「故雖寫實家，亦理想家也」；同理，理想家所謂的虛構，也不可能跨越自然的真實底綫，它也要以自然的基本法則爲準則，故而在這個意義上，「故雖理想家，亦寫實家也」。說到這裏，其實又回到一個藝術史上古老的話題，即藝術與自然的關係。藝術既不是對自然的模仿，也不是主觀的憑空創造。藝術來源于生活又高于生活，在這層意義上，王國維先生的觀點無疑是很正確的。

六

境非獨謂景物也，喜怒哀樂，亦人心中之一境界。故能寫真景物、真感情者，謂之有境界，否則謂之無境界。

今譯 意境並不僅僅是指景物描寫。人的喜怒哀樂也是人心中的境界。所以說能寫出真景物、真感情的作品，才是有境界的，否則便是無境界。

評點·賞析 葉嘉瑩先生在《王國維及其文學批評》中對此有相當精彩的論述，兹錄之以饗讀者：「《人間詞話》中所標舉的『境界』，其含義應該乃是說，凡作者能把自己所感知之境界，在作品中作鮮明真切的表現，使讀者也可得到同樣鮮明真切之感受，如此才是有境界的作品，所以欲求作品之有境界，則作者自己必須先對其所寫之對象有鮮明真切之感受，至于此一對象則既可以爲外在之景物，也可以爲內在之感情；既可以爲耳目所聞見之真實之境界，亦可以爲浮現于意識中之虛構之境界，但無論如何卻都必須作者自己對之有真切之感受，始得稱之爲有境界。如果衹因襲摹仿，

紅杏枝頭春意鬧語出宋祁玉樓春春景此句傳達出春日裏萬物爭喧之景

則儘管把外在之景物寫得『桃紅柳綠』，把內在之感情寫得『腸斷魂銷』，也依然是無境界。」

七

「紅杏枝頭春意鬧」①，著一「鬧」字而境界全出。「雲破月來花弄影」②，著一「弄」字，而境界全出矣。

注釋 ①宋祁《玉樓春》：東城漸覺風光好，縠皺波紋迎客棹。綠楊煙外曉寒輕，紅杏枝頭春意鬧。 浮生長恨歡娛少，肯愛千金輕一笑。爲君持酒勸斜陽，且向花間留晚照。②張先《天僊子》：水調數聲持酒聽，午醉醒來愁未醒。送春春去幾時回？臨晚鏡，傷流景，往事後期空記省。 沙上並禽池上暝，雲破月來花弄影。重重簾幕密遮燈，風不定，人初靜，明日落紅應滿徑。

今譯 「紅杏枝頭春意鬧」，一個「鬧」字使得境界全出。「雲破月來花弄影」，一個「弄」字使得境界全出。

評點·賞析 對于這則文論，很多學者都重視了「析」，而忽視了「賞」，這兩句詞就如國畫，畫上的景、詞中的字都衹是冰山一角，需要我們用心去賞：比如第二句，我們試問：雲何以破？月何以來？答曰：有風吹過，正因爲有風吹過，故而風過處，花枝婆娑，影亦起舞，二者相得益彰之狀，著一「弄」字可謂傳神，因而境界全出；第一句亦然，紅杏開初，雖然尚有「綠楊煙外之曉寒」，但這並不妨礙蜜蜂蝴蝶等流連其間，故而紅杏雖靜，蜜蜂蝴蝶卻使得整個春意「鬧」得盎然，故而一個「鬧」字而境界全出。

八

境界有大小，不以是而分優劣。「細雨魚兒出，微風燕子斜」①，何遽不若「落日照大旗，馬鳴風蕭蕭」②；「寶簾閑掛小銀鉤」③，何遽不若「霧失樓臺，月迷津渡」④也。

注釋 ①杜甫《水檻遣心》二首之一：去郭軒楹敞，無村眺望賒。澄江平少岸，幽樹晚多花。細雨魚兒出，微風燕子斜。城中十萬戶，此地兩三家。②杜甫《後出塞》五首之二：朝進東門營，暮上河陽橋。落日照大旗，馬鳴風蕭蕭。平沙列萬幕，部伍各見招。中天懸明月，令嚴夜寂寥。悲笳數聲動，壯士慘不驕。借問大將誰？恐是霍嫖姚。③秦觀《浣溪沙》：漠漠輕寒上小樓，曉陰無賴似窮秋，淡煙流水畫屏幽。　自在飛花輕似夢，無邊絲雨細如愁，寶簾閑掛小銀鈎。④秦觀《踏莎行》：霧失樓臺，月迷津度，桃源望斷無尋處。可堪孤館閉春寒，杜鵑聲裏斜陽暮。　驛寄梅花，魚傳尺素，砌成此恨無重數。郴江幸自繞郴山，爲誰流下瀟湘去！

今譯　境界有大小之分，但是不能據此來區分它的高低優劣。「細雨魚兒出，微風燕子斜」怎能認爲不如「落日照大旗，馬鳴風蕭蕭」呢？「寶簾閑掛小銀鈎」怎能認爲不如「霧失樓臺，月迷津渡」呢？

評點·賞析　境界的小與大，優美還是壯美，其實都是不同的生活和意蘊的反映，它們能夠帶給人們不同的審美享受，雖然其特質各有不同，但是在給人審美體驗這一點上是相同的，都屬于「美」的範疇，因而其間不能以優劣作爲對比參照，就這則文論而言，以細雨微風與落日馬鳴對舉，是表明境界的宏闊與否，並不影響審美欣賞與評價；寶簾銀鈎與霧失樓臺相對舉，是證明境界的清朗或朦朧，一樣產生美的效果。由此得出的結論是：境界有大小，不以是而分優劣。

九

嚴滄浪①《詩話》謂：「盛唐諸公，唯在興趣。羚羊掛角，無跡可求②。故其妙處，透澈玲瓏，不可湊拍。如空中之音、相中之色、水中之影、鏡中之象，言有盡而意無窮。」余謂：北宋以前之詞，亦復如是。然滄浪所謂「興趣」，阮亭③所謂「神韻」，猶不過道其面目，不若鄙人拈出「境界」二字，爲探其本也。

注釋　①嚴滄浪：嚴羽，字儀卿，一字丹邱，自號滄浪逋客，邵武人。南宋著名詩論家，與同族參、仁皆有詩才，號「三嚴」。他所著的《滄浪詩話》，分《詩辯》《詩體》《詩法》《詩評》《考證》五篇，是我國古典文論中的重要著作。嚴羽認爲詩人應該具備一種特殊的才能，詩歌應該具有特殊的情趣韻味，以漢魏盛唐詩人爲師，才能領略詩歌創作的真諦，創作出情趣盎然的詩歌，他所說的「興趣」，便是指詩歌的情趣韻味。②羚羊掛角，無跡可求：羚羊是一種珍稀動物，雌雄都有角，多棲息在曠野或者荒漠中，傳說羚羊在夜間休息時會懸角于樹枝上，從而使自己無跡可尋以逃避敵害，作者在這裏用來比喻唐詩渾然天成，沒有一絲人工雕琢的痕跡。③阮亭：王士禛（一六三七—一七一一），亦作士禛，字子真，一字貽上，號阮亭，亦號漁洋山人，山東新城（今山東桓臺）人，順治年間進士，清初詩人、詩論家，被尊爲清初文壇盟主，著有《漁洋詩話》《池北偶談》等，他創立的神韻說的詩論，對後代影響很大。

今譯

嚴羽在《滄浪詩話》中說：「盛唐諸公，唯在興趣。羚羊掛角，無跡可求。故其妙處，透澈玲瓏，不可湊拍。如空中之音、相中之色、水中之影、鏡中之象，言有盡而意無窮。」我認爲，北宋以前之詞，就是這樣。但是嚴羽所謂「興趣」，王士禛所謂「神韻」，衹是說到了詩歌的表面形式，不如我所主張的「境界」兩字，才探求到根本。

評點·賞析

嚴羽所謂的「興趣」，指詩人的一種創作衝動，在興致勃發的時候那種欣喜激動的感覺，很明顯，它是在詩前的；而阮亭所謂的「神韻」，指詩人言之未盡寄予言外的風神氣度，它是在詩後的。而王國維先生的境界說正是在興趣說和神韻說的基礎上發展起來的，境界是詩人的感受在作品中的具體的呈現，它既包括了作者閱讀自然的感受能力，又包含了作品完成後的表達效果，因而其自道「探其本也」是有道理的。

十

太白純以氣象勝。「西風殘照，漢家陵闕」①，寥寥八字，遂關千古登臨之口。後世唯范文正②之《漁家傲》、夏英公③之《喜遷鶯》④差足繼武，然氣象已不逮矣。

注釋

①李白《憶秦娥》：簫聲咽，秦娥夢斷秦樓月。秦樓月，年年柳色，霸陵傷別。樂游原上清秋節，咸陽古道音塵絕。音塵絕，西風殘照，漢家陵闕。②范文正：范仲淹（九八九—一

〇五二），字希文，謚文正。先世邠（今陝西彬縣）人，遷居吳縣（今江蘇蘇州）。范仲淹曾經駐守陝西，抗擊西夏，西夏人稱其「胸中自有數萬甲兵」。宋仁宗時官至參知政事（副宰相），領導了慶歷新政。范仲淹的軍旅生涯拓展了他的詞作內容，他描寫邊塞生活的《漁家傲》爲宋詞開辟了嶄新的審美境界，其沈鬱蒼涼的風格，則成爲後來豪放詞的開山之作。③夏英公：夏竦（九八四—一〇五〇），字子喬，曾爲宰相，封爲英國公，北宋詞人。④夏竦《喜遷鶯》：霞散綺，月垂鉤。簾捲未央樓。夜涼河漢截天流，宮闕鎖清秋。　瑤階曙，金盤露。鳳髓香和煙霧。三千珠翠擁宸游，水殿按涼州。

今譯　李白純以氣象取勝。「西風殘照，漢家陵闕」，衹八個字，就使萬古千秋在此登高望遠的詩人無法再開口詠吟。後世衹有范仲淹的《漁家傲》、夏竦的《喜遷鶯》尚能勉強繼承其詞風，衹是詞中氣象已經難以企及了。

評點·賞析　氣象可以理解爲作品整體的風貌與佈局，它是與作者本身的某種情思、傾向互相融合而成的基本的風格、格調。李白的這首詞，由傷別的悲涼基調開篇，觸景生情並由此到懷古懷國的悲壯感情，一種跨越時空的寂寥感同時躍然紙上，其場面宏大遼遠，境界渾然一片，所以王國維先生說他「關千古登臨之口」。范仲淹的《漁家傲》同樣有悲壯的感情蘊涵其中，而且這種感情始終貫穿詞間，質實有餘而缺少了李白的一種空靈的元素，而且比李詞少了一層時空的寂寥，故而說氣象不及李詞。至于夏英公的《喜遷鶯》雖然描寫得豪邁浩蕩，但由于是應制之詞，著力點在渲染富麗堂皇的皇家氣象，可以說是點綴升平之作，這在一定程度上爲秉持「不爲美刺投贈之篇，不使隸事之句，不用粉飾之字」（《人間詞話》第五十七條）的王國維所不喜也在預料之中。

一一

張皋文①謂：飛卿②之詞「深美閎約」。余謂此四字唯馮正中③足以當之。劉融齋④謂：「飛卿精艷絕人。」差近之耳。

注釋　①張皋文：張惠言（一七六一—一八〇二），字皋文，江蘇武進（今江蘇常州）人，清代著名的經學家、詞人、詞論家，嘉慶年間進士，官至翰林院編修。所著《詞選》一書，使清詞體格爲之一變，餘波至于晚近，爲常州詞派開宗之作。朱孝臧稱其爲「詞壇疏鑿手」。他是陽湖派散文和常州派詞的開創者和代表。本文所引「深美閎約」原文爲「自唐之詞人李白爲首，其後韋應物、王建、韓翃、白居易、劉禹錫、皇甫松、司空圖、韓偓並有述造，而温庭筠最高，其言深美閎約」。②飛卿：温庭筠（八一二—約八七〇），本名岐，字飛卿，太原（今山西太原）人，晚唐文學家。温庭筠一生不得志，生活放蕩不羈。其詞作濃艷細膩，綿密隱約，多采用訴諸感官的密集而艷麗的辭藻來描寫女性及其居處環境。在詞壇上與韋莊齊名，世稱「温韋」。其詩作也頗多妙句，與李商隱合稱爲「温李」。③馮正中：馮延巳（九〇四—九六〇），一名延嗣，字正中，廣陵（今江蘇揚州）人，爲南唐中主李璟的丞相，其人學問淵博，以才藝自負，尤喜爲樂府詞。馮延巳的詞作多以相思離别、花柳風情爲題材，著力于表現人物的心境意緒。他不僅開啓了南唐詞風，而且影響到北宋的晏殊、歐陽修等人。④劉融齋：劉熙載（一八一三—一八八一），字伯簡，一字融齋，江蘇興化人，道光年間進士，主講上海龍門書院多年，清代著名學者。

今譯 張惠言説：溫庭筠的詞深邃美艷，宏闊婉約。我認爲這種評價衹有馮延巳才能夠擔當。劉熙載説：溫庭筠的詞精妙絶人。我看這個評價才比較接近事實。

評點·賞析 「深美閎約」與「精艷絶人」的區别是很明顯的，溫庭筠的詞多爲應歌而作，風格香而軟，除詞藻華麗外給人留下的欣賞空間比較小，而且其詞左右不出閨房之外，格局窄小自不待言，因而細膩濃艷有餘而缺少一種宏闊的境界，故而難以當起「深」和「閎約」；而馮正中的詞除了精艷之外，還有鮮明真切的個性表現，關于馮延巳的詞評在王國維先生其他的文論中還多有涉及，下面再具體展開，讀者可先讀一下馮延巳《鵲踏枝》詞「誰道閑情拋擲久？每到春來，惆悵還依舊。日日花前長病酒，不辭鏡裏朱顏瘦。　河畔青蕪堤上柳，爲問新愁，何事年年有？獨立小橋風滿袖，平林新月人歸後」，來感受一下。

一二

「畫屏金鷓鴣」①，飛卿語也，其詞品似之。「弦上黃鶯語」②，端己③語也，其詞品亦似之。正中詞品，若欲於其詞句中求之，則「和淚試嚴妝」④殆近之歟？

注釋

①温庭筠《更漏子》：柳絲長，春雨細。花外漏聲迢遞。驚塞雁，起城烏。畫屏金鷓鴣。　香霧薄，透簾幕。惆悵謝家池閣。紅燭背，繡簾垂。夢長君不知。②韋莊《菩薩蠻》：紅樓別夜堪惆悵，香燈半捲流蘇帳。殘月出門時，美人和淚辭。　琵琶金翠羽，弦上黃鶯語。勸我早歸家，綠窗人似花。③端己：韋莊（約八三六—九一〇），字端己，長安杜陵（今陝西西安）人。少年時疏曠不拘小節。唐僖宗廣明元年，韋莊在長安應進士試，適逢黃巢入京，遂身陷兵戈，與弟妹相失，後作《秦婦吟》以記其事，流傳甚廣，時人稱之爲「秦婦吟秀才」。後韋莊仕蜀，唐亡後勸王建稱帝自立，爲之擘畫開國制度，官至吏部侍郎同平章事（即宰相）。韋莊之詞與温庭筠齊名，同爲「花間詞人」的代表，世稱「温韋」。其詞于清麗秀艷、温柔纏綿之中每有清疏筆法和顯直明朗的抒情。相較于温詞而言，韋詞更爲自然從容。④馮延巳《菩薩蠻》：嬌鬟堆枕釵橫鳳，溶溶春水楊花夢。紅燭淚闌幹，翠屏煙浪寒。　錦壺催畫箭，玉佩天涯遠。和淚試嚴妝，落梅飛曉霜。

今譯

「畫屏金鷓鴣」，是溫庭筠的詞句，而他的詞品也與之相似。「弦上黃鶯語」是韋莊的詞句，他的詞品也與之相似。如果要從馮延巳的詞中找出一句來總結馮氏的詞品，大概「和淚試嚴妝」比較接近吧。

評點·賞析

「畫屏金鷓鴣」即畫屏上色彩斑斕的描金鷓鴣，它是閨中之物，恰似溫飛卿詞綿麗藻飾而又缺乏生動鮮明的個性的風格。「弦上黃鶯語」是比喻，說弦上的琴音如同枝上的黃鶯啼鳴，杜詩曾有「流連戲蝶時時舞，自在嬌鶯恰恰啼」，可見其聲調是何等的跳脫清新，與韋詞清秀纏綿，出語活潑自然的風格正相符合。「和淚試嚴妝」，「試嚴妝」即試穿新婚的禮服，本是喜事，然而卻又要「和淚」，讀者禁不住要追思原因，而這種矛盾性正是馮延巳詞在花間月下蘊涵憂患危苦之情的體現。

一三

南唐中主①詞「菡萏香銷翠葉殘，西風愁起綠波間」②，大有「眾芳蕪穢」③「美人遲暮」④之感。乃古今獨賞其「細雨夢回鷄塞遠，小樓吹徹玉笙寒」，故知解人正不易得。

注釋 ①南唐中主：李璟（九一六—九六一），本名景通，改名瑶，後名璟，字伯玉。因國勢衰頹，不敵後周，遂去南唐帝位，改稱南唐國主。其子即南唐後主李煜。李璟多才藝，善歌詩，其詞作亦屬上品。②李璟《浣溪沙》： 菡萏香銷翠葉殘，西風愁起綠波間。還與韶光共憔悴，不堪看。 細雨夢回鷄塞遠，小樓吹徹玉笙寒。多少淚珠何限恨，倚闌干。③節自屈原《離騷》：余既滋蘭之九畹兮，又樹蕙之百畝。畦留夷與揭車兮，雜杜蘅與芳芷。冀枝葉之峻茂兮，願俟時乎吾將刈。雖萎絶其亦何傷兮，哀衆芳之蕪穢。④節自屈原《離騷》： 日月忽其不淹兮，春與秋其代序。惟草木之零落兮，恐美人之遲暮。

今譯 南唐中主李璟的詞「菡萏香銷翠葉殘，西風愁起綠波間」，很有屈原《離騷》中「衆芳蕪穢」「美人遲暮」的感覺。但是古今衆人衹欣賞其「細雨夢回鷄塞遠，小樓吹徹玉笙寒」句，由此可見，真正能夠理解詞作的人太少了。

評點·賞析 中主李璟的這首詞是寫思婦懷人的。詞的上篇即景生情，「菡萏香銷翠葉殘」，寫荷花之殘；「西風愁起綠波間」，寫秋天之殘；「還與韶光共憔悴」，是由景殘聯想到自己的現狀，芳華漸逝，因而「不堪看」。這確實是一幅生動的「衆芳蕪穢」（言荷花）、「美人遲暮」（言思婦）的圖像。下篇則由情而思，深切地寫出「愁」的原因，思婦由感嘆韶華易逝自然而然地想到遠方的征夫。「細雨夢回鷄塞遠」是懷人之夢殘，畢竟夢總是要醒來的；「小樓吹徹玉笙寒」則是懷人之曲殘，情緒低落而使得曲難以成調；最後衹得「多少淚珠何限恨，倚闌干」，憑欄遠望，涕淚橫流。全詞孤寒冷寂，一個殘字貫穿始終，藝術形象完整而感人。

從分析上看，整篇皆爲佳句，那麼爲什麼王國維先生獨賞前兩句呢？這應該與其身世經歷有關，菡萏香銷，西風愁起，頗有家國之憾，王國維以遺老自居，聯係到當時的時局，這兩句引起了先生的共鳴，自然更能玩味此中深意，類似的例子還有文論的第二十九條王國維先生認爲蘇軾欣賞秦觀的「郴江幸自繞郴山，爲誰流下瀟湘去」是「猶爲皮相」，但如果聯係到蘇軾和秦觀的相似經歷，其實我們也不難發現這是因爲這句引起了蘇軾感情上的共鳴。

一四

溫飛卿之詞，句秀也。韋端己之詞，骨秀也。李重光①之詞，神秀也。

注釋 ①李重光：李煜（九三七—九七八），字重光，南唐中主李璟之第六子，建隆二年（九六一）繼位，在位十五年，史稱李後主，開寶八年（九七五），宋將曹彬攻破金陵，李煜投降，第二年被押至京師，封「違命侯」，「太平興國三年（九七八），服毒而死，年四十二歲。

今譯 溫庭筠的詞，句秀。韋莊的詞，骨秀。李煜的詞，神秀。

評點·賞析 句秀是言溫飛卿詞藻的華麗之美，一如前面所說的「精妙絶人」，可以說溫詞中佳句如佳人，相得益彰；韋詞則多直抒胸臆，在篇章結構方面，由于不一味地刻畫實景實物，不用大量的詞藻堆砌，而是用詞簡潔連貫，上下一氣，所以顯得脈絡分明，層次清晰，這就是他的詞被稱爲骨秀的原因；李後主的詞則直達人的內心深處，用高度概括性的比喻和形象的語言，把種種抽象的、可感而又不可說的感情，真實具體地描繪出來，而且絲絲入扣，切中肯綮，很容易讓人產生共鳴，故曰神秀。

一五

詞至李後主而眼界始大，感慨遂深，遂變伶工之詞而爲士大夫

流水落花春去也語出李煜浪淘沙詞意淒絶充滿無可奈何之情

之詞。周介存①置諸溫、韋之下，可謂顛倒黑白矣②。「自是人生長恨水長東」③「流水落花春去也，天上人間」④，《金荃》⑤《浣花》⑥，能有此氣象耶？

注釋

①周介存：周濟（一七八一—一八三九），字保緒，一字介存，號未齋，晚年號止庵，江蘇荆溪（今宜興）人，嘉慶年間進士，清代詞人、詞論家。②周濟《介存齋論詞雜著》：「毛嬙、西施，天下美婦人也。嚴妝佳，淡妝亦佳，粗服亂頭，不掩國色。飛卿，嚴妝也。端己，淡妝也。後主則粗服亂頭矣。」③李煜《烏夜啼》：（一作《相見歡》）林花謝了春紅，太匆匆，無奈朝來寒雨晚來風。 胭脂淚，留人醉，幾時重？自是人生長恨水長東！④李煜《浪淘沙》：簾外雨潺潺，春意闌珊。羅衾不耐五更寒。夢裏不知身是客，一晌貪歡。 獨自莫憑闌，無限江山，別時容易見時難。流水落花春去也，天上人間。⑤《金荃》：全名《金荃集》，温庭筠詞集。⑥《浣花》：韋莊詞集。

今譯 詞到了李煜那裏眼界才開始擴大，于是感慨變得更爲深刻，使詞從此從伶工之歌變爲士大夫之詞。周濟認爲李煜的詞不如溫庭筠和韋莊，真是顛倒黑白。「自是人生長恨水長東」「流水落花春去也，天上人間」，溫庭筠和韋莊的詞哪有這樣的氣象呢？

評點・賞析 這條文論可以看作是對李後主在詞的發展史上的地位的論述，李煜之詞擺脱了五代詞花間詞派充滿脂粉香氣的狹窄境界，開始抒寫沈重真實的亡國之痛，感慨悲涼的人生苦難，使詞從供伶人樂工于花前月下青樓勾欄娛樂的工具變爲士大夫抒情言志的文學體裁，李煜對詞境的開拓爲宋詞的繁榮奠定了極爲深厚的基礎。

值得一提的是，王國維先生對于周濟對溫、韋、後主的詞評是存在誤解的。「毛嬙、西施，天下美婦人也。嚴妝佳，淡妝亦佳，粗服亂頭，不掩國色。飛卿，嚴妝也。端己，淡妝也。後主則粗服亂頭矣。」王國維先生認爲這是把後主置於溫、韋之下，其實周濟的本意是説後主的詞如絶美之人，縱然不加修飾，美人之資質也未有減損，這其實是褒揚李後主的詞自然渾成，生機勃勃，與王國維先生的「神秀」之評是一致的。

一六

詞人者，不失其赤子之心者①也。故生於深宮之中，長於婦人之手，是後主爲人君所短處，亦即爲詞人所長處。

注釋 ①赤子之心：最初見于《孟子・離婁下》：「大人者，不失其赤子之心者也」。王國維先生在譯述叔本華的《意志及觀念之世界》（今譯《作爲意志和表象的世界》）曾用以翻譯「天才論」，原文爲：天才者，不失其赤子之心者也。蓋人生至七年後，知識之機關，即腦之質與量已達完全之域，而生殖之機關尚未發達。故赤子能感也，能思也，其愛知識也，較成人爲深，而其受知識也，亦視成人爲易。一言以蔽之，曰：彼之知力盛于意志而已，既彼之知力之作用遠過于意志之所需要而已。故自某方面觀之，凡赤子皆天才也。又凡天才，自某點觀之，皆赤子也。昔海爾臺爾謂格代曰「巨孩」。音樂大家穆查德亦終生不脱孩子氣，

希臺額路爾謂彼曰：「彼于音樂，幼而驚其長老，然于一切他事則壯而常有童心也」。（《靜安文集・叔本華與尼采》）

今譯　詞人就是不失其赤子之心的人。所以出生于深宮之中、成長于婦人之手的生活環境，雖然對于一個君王來說是短處，但對于一個詞人來說卻正是他的長處。

評點・賞析　赤子之心在這裏和上面的兩種來源都有關係但又不與二者完全相同，在這裏可以理解爲「真心」，認爲詩人不應失其赤子之心，就是強調詩人應該真誠地對待自然人生，作品應該出于至性至情，這與前面文論中他主張要寫真景物、真感情是完全一致的，而寫真景物真感情的一個重要前提就是要有真性情。

對李後主李煜而言，因爲他「生于深宮之中，長于婦人之手」，這在一方面制約了他在政治上的作爲，但他同時卻因此而超然世外，得以更深刻地體驗我情我性，特別是其後期由一代君王到階下囚的巨大轉變，使其感情更加純粹，性情也愈加真切，誠如有學者所言，李煜之成功，是順境葆有赤子之心，逆境也葆有赤子之心的結果，但是這裏與下面的文論在有的學者看來是有矛盾的，我們將在下面具體討論。

一七

客觀之詩人，不可不多閱世。閱世愈深則材料愈豐富，愈變化，《水滸傳》《紅樓夢》之作者是也。主觀之詩人，不必多閱世。閱世愈淺則性情愈真，李後主是也。

今譯　客觀的詩人，不能不多經歷世事。經歷世事越深切，那麼材料就積累得越豐富，越富有變化，《水滸傳》《紅樓夢》的作者就是如此。主觀的詩人，不必多經歷世事。閱世越淺，則性情越純真，李煜就是如此。

評點・賞析　王國維先生的這條文論招致了很多的批評，以李煜爲例，很多學者提出，李煜寫的最好的詞並不是他在養尊處優的時候寫就的，而恰恰是在他經歷了重大的變故，眼界擴大感慨深厚後寫成的，如果他沒有這段閱世的經歷的話也就沒有這些流芳千古膾炙人口的好詞了。這個邏輯看似很有說服力，其實是存在對于這則文論的誤讀：首先，不必多閱世並不等于不閱世，雖然沒有指出這個閱世的度應當如何衡量，但是至少這裏顯示出王國維先生的嚴謹。其次，主觀之詩人和客觀之詩人的說法，除了應結合前面有關文論，還可以參考作者在《文學小言》中的相關論述：「文學中有二原質焉：曰景，曰情。前者以描寫自然及人生之事實爲主，後者則吾人對此種事實之精神的態度也，故前者客觀的，後者主觀的，前者知識的，後者感情的。」最後，王國維先生對于當時的社會現實是有批判的，他曾說過「社會上之習慣，殺許多之善人，文學上之習慣，殺許多之天才」（《人間詞話未刊稿》第十四條），結合當時的社會現狀，我們認爲，即便認爲這些言論有些過于嚴厲，也是完全情有可原的，由此可見，上面的論述是很有見地的：李煜之成功，是順境葆有赤子之心，逆境也葆有赤子之心的結果。

一八

尼采①謂：「一切文學，余愛以血書者。」後主之詞，真所謂以血書者也。宋道君皇帝②《燕山亭》③詞亦略似之。然道君不過自道身世之戚，後主則儼有釋迦、基督擔荷人類罪惡之意，其大小固不同矣。

注釋

①尼采（一八四〇—一九〇〇）：以「超人」哲學著稱的著名德國哲學家。他在《蘇魯支語録》中說：「凡一切已經寫下的，我祇愛其人用血寫下的書。用血寫書；然後你將體會到，血便是精義。」（據徐梵澄譯本），此書現在一般翻譯爲《查拉斯圖拉如是說》。②宋道君皇帝：宋徽宗趙佶（一〇八二—一一三五），在位二十五年，在書畫和書法上有頗深的造詣，然政治極爲腐敗。金南下攻宋，趙佶內禪皇太子趙桓（宋欽宗），自己被尊爲「教主道君皇帝」。靖康二年（一一二七），金滅北宋，徽、欽二帝以及后妃、宗室、大臣三千餘人被擄北歸，史稱「靖康之變」。岳飛的著名詞作《滿江紅》中的「靖康恥，猶未雪」便道此事。後二帝先後死于五國城（今黑龍江依蘭）。③宋徽宗《燕山亭·北行見杏花》：裁翦冰綃，輕疊數重，淡著燕脂勻注。新

樣靚妝，艷溢香融，羞殺蕊珠宮女。易得凋零，更多少無情風雨。愁苦。問院落凄涼，幾番春暮？　憑寄離恨重重，這雙燕何曾，會人言語？天遙地遠，萬水千山，知他故宮何處？怎不思量？除夢裏有時曾去。無據，和夢也新來不做。

今譯　尼采說：「所有的文學作品中，我最愛用血寫成的。」李後主之詞，真可謂是用血寫成的。宋徽宗的《燕山亭》詞也略微接近。但是宋徽宗衹不過是自道身世之苦，而李煜則儼然有釋迦、基督承擔人類罪惡的意思，他們作品價值的高低實在並不相同。

評點·賞析　這則文論在後世學者中招來很多批評，解放後至八十年代中期之前的學者對此文論一般持否定的態度，其中主流是階級分析的觀點，認爲李煜衹是一個沒落的貴族，他所抒發的衹是自己悲苦的狹窄情感，跟「救世主」的胸懷作類比是荒唐的，也有學者從王國維先生引用的尼采原文中其他章節出發，認爲他有斷章取義之嫌，按照同文中的其他段落，尼采會鄙棄後主的詞作。近來學者則多爲王國維先生辯護，如劉鋒傑、章池先生在所著的《人間詞話百年解評》中認爲：將李煜與釋迦、基督相提並論，是承認李煜所關心者不是個人，而是人類，這是他的眼界宏大，也是認爲李煜有擔當人類苦難的自覺，正是這種自覺，才使他咀嚼罪惡，咀嚼苦難，成爲一位受難的詩人，將罪惡與苦難轉化成詩，這使他的人生體驗與感慨變深。相反，李煜若不能將苦難視作身內物，甚至排斥苦難，就不能深入體驗它與表現它，血的經歷就不能成爲血寫的書，那李煜也就降而爲宋徽宗了。滕咸惠先生在《人間詞話》一書中認爲，王國維所說的「儼有釋迦、基督擔荷人類罪惡之意」衹是一個比喻，並非認爲李後主以個人苦難擔荷人類罪惡。他進而認爲，在文學史上存在這樣一種現象，優秀傑出的作品可以引起不同歷史時期讀者思想感情的共鳴，上面的比喻所揭示的，正是這種共鳴現象。筆者認爲這兩種觀點都是相當有見地的。

一九

馮正中詞雖不失五代風格，而堂廡特大①，開北宋一代風氣。與中、後二主詞皆在《花間》②範圍之外，宜《花間集》中不登其隻

字也③。

注釋　①堂廡特大：形容氣度恢宏，境界開闊高遠。②《花間》：《花間集》，五代後蜀趙崇祚編，選録晚唐五代温庭筠、韋莊等十八家詞五百首，其中除温庭筠、皇甫松、孫光憲外都是身居西蜀的文人，爲最早的文人詞總集。③王國維先生認爲《花間集》中不收録南唐中主、後主及馮延巳的詞是因爲他們突破了花間詞派的詞風，這種看法不夠準確，《花間集》的成書年代大約在九四〇年前後，這時候後主李煜不過三四歲而已，又據龍榆生（沐勛）先生《唐宋名家詞選》：「《花間集》多西蜀詞人，不采二主及正中詞，當由道裏隔絶，又年歲不相及，有以致然。非因流派不同，遂爾未置也。王説非是。」

今譯　馮延巳的詞雖然還沒有失去五代時期的風格，但是他的詞境界開闊，氣勢恢弘，開北宋一代風氣。和南唐中後二主的詞都突破了花間詞風的限制，《花間詞》中不收録他們一個字是很自然的事情。

評點·賞析　《花間集》是所謂五代風格的最典型代表。「其詞作崇尚雕飾，追求婉媚，言情不離傷春傷别，場景無非洞房酒筵，裙裾脂粉、軟香柔膩充盈其間」（吳洋《人間詞話手稿本全編》），而馮延巳的詞雖然也纏綿也執著，表面上有花間，實際在詞的背後總有一種揮之不去的鬱結，境界比花間深遠了許多；後主的詞更不待言，「變伶工之詞而爲士大夫之詞」自然更高出花間詞數籌。

二十

正中詞除《鵲踏枝》①《菩薩蠻》十數闋最煊赫外，如《醉花間》②之「高樹鵲銜巢，斜月明寒草」，余謂韋蘇州③之「流螢渡高閣」④、孟襄陽⑤之「疏雨滴梧桐」⑥不能過也。

注釋　①馮延巳的《陽春集》中有《鵲踏枝》十四首，《菩薩蠻》九首，都被認爲是馮的代表作，現録其中一首《鵲踏枝》請讀者賞析：誰道閑情抛擲久？每到春來，惆悵還依舊，日日花前常病酒，敢辭鏡裏朱顔瘦。　河畔青蕪堤上柳，爲問新愁，何事年年有？獨立小橋風滿袖，平林新月人歸後。②馮延巳《醉花間》：晴雪小園春未到。池邊梅自早。高樹鵲銜巢，斜月明寒草。山川風景好。自古金陵道。少年看卻老。相逢莫厭醉金杯，別離多，歡會少。③韋蘇州：韋應物（七三七—約七九〇），長安（今陝西西安）人。少年時任俠負氣，十五歲成爲唐玄宗的三衛近侍，「安史之亂」後因遭人輕視，入太學折節讀書。二十七歲出任洛陽丞，軍士中有倚恃宦官勢力專橫虐民的，被他撲打，治之以法，他因此而被迫辭職。後來歷任滁州、江州、蘇州刺史，故世稱爲韋蘇州。韋應物少年時的詩作剛健張揚，中晚年的作品則散淡衝和，他是中唐時期重要的詩人。④韋應物《寺居獨夜寄崔主簿》：幽人寂不寐，木葉紛紛落。寒雨暗深更，流螢渡高閣。坐使青燈曉，還傷夏衣薄。寧知歲方晏，離居更蕭索。⑤孟襄陽：孟浩然（六八九—七四〇），襄陽人。年輕時隱居家鄉鹿門山，以詩歌自娛。後往長安，應進士試不第，隨後南下吳越，寄情山水。

張九齡出鎮荆州，曾入其幕，三年後病疽死。孟浩然終身布衣，其詩作自然平淡，與王維並稱爲「王孟」。⑥《全唐詩》卷六：孟浩然詩句：「微雲淡河漢，疏雨滴梧桐。」唐王士源《孟浩然集》序云：「浩然嘗閑游秘省，秋月新霽，諸英華賦詩作會。浩然句雲『微雲淡河漢，疏雨滴梧桐』，舉座嗟其清絶，咸閣筆不復爲繼。」

今譯 馮延巳的詞除了《鵲踏枝》《菩薩蠻》等十幾首最爲著名外，他的《醉花間》中的「高樹鵲銜巢，斜月明寒草」一句，我認爲韋應物的「流螢渡高閣」和孟浩然的「疏雨滴梧桐」都不能超過它。

評點·賞析 「高樹鵲銜巢，斜月明寒草」，俊朗清雅，卻又深遠闊約，「鵲銜巢」是用細微的聲響動作中凸顯出寧謐孤獨的氛圍，同時用鳥鵲尚且有家，而反襯行旅之人行蹤不定，無以爲家；「明寒草」，一片清冷安靜的畫面中卻隱含著嗟嘆無語的落寞，與後文中的寓情于酒保持了自然的連貫，這看似寫景的白描，卻蘊藏著深深的愁緒，而景與情卻又如此完美地融爲一體，這其實就是前面文論中曾經說過的「無我之境」，以境界說爲論詞圭臬的王國維先生自然要對此二句贊賞有加。相比而言，後兩位大家的詩作則少了這些意境，因而這樣的評價也就在情理之中了。

二一

歐九①《浣溪沙》詞：「綠楊樓外出秋千。」②晁補之③謂只一「出」字，便後人所不能道。余謂此本於正中《上行杯》詞「柳外秋千出畫牆」④，但歐語尤工耳。

注釋 ①歐九：歐陽修（一〇〇七—一〇七二），字永叔，號醉翁，晚年又號六一居士，吉水（今江西吉水）人，天聖年間進士，北宋文學家、史學家，因排行第九，故有此稱。②歐陽修《浣溪沙》：堤上游人逐畫船，拍堤春水四垂天。綠楊樓外出秋千。白髮戴花君莫笑，六麼催拍盞頻傳。人生何處似尊前？③晁補之（一〇五三—一一一〇）：字無咎，號歸來子。濟州巨野（今山東巨野）人。元豐年間進士，北宋文學家，他曾以文章受知于蘇軾，爲「蘇門四學士」之一。④馮延巳《上行杯》：落梅著雨消殘粉，雲重煙輕寒食近。羅幕遮香，柳外秋千出畫墻。 春山顛倒釵橫鳳，飛絮入簾春睡重。夢裏佳期，祗許庭花與月知。

今譯 歐陽修的《浣溪沙》詞中有「綠楊樓外出秋千」一句。晁補之認爲，僅一個「出」字便是後人所不能達到的。我看這個「出」字的運用正是借鑒了馮延巳《上行杯》詞中「柳外秋千出畫牆」一句，祗是歐陽修的文辭更爲工整精巧。

評點·賞析 龍榆生（沐勛）先生在《唐宋名家詞選》中指出，唐朝王維的《寒食城東即事》詩中有句云「蹴鞠屢過飛鳥上，秋千竟出垂楊裏」，歐陽修所用「出」字，應當是據此而來。但是不管歐陽修從哪裏化用而來，「出」字用在這裏可謂恰到好處，正所謂著一「出」字而境界全出：上篇中有游人逐畫船，一個逐字生動地描摹了踏青賞春的人們爭相觀看的情狀，是動景；春水拍堤，用聲勢表示動態，把水也寫活了，亦是動景；到樓外綠楊時，雖然有春風，綠楊也必隨風而動，但由于距離的緣故，整幅畫面好像要靜下來了，然而樓樹之間突然有秋千蕩出，一個「出」字，使得本來要靜下來的春景一下子峰迴路轉，又動了起來，給人些許意外的同時更加反襯了動景，因而爲王國維先生擊節贊賞稱道。不僅如此，在王國維先生自己作的《人間詞》中，同樣化用了這個「出」字，是在《浣溪沙》一詞中：

路轉峰迴出畫塘，一山楓葉背殘陽，看來渾未似秋光。 隔座聽歌人似玉，六街歸騎月如霜，客中行樂衹尋常。

二二

梅聖俞①《蘇幕遮》詞：「落盡梨花春又了。滿地殘陽，翠色和煙老。」②劉融齋③謂：少游④一生似專學此種⑤。余謂：馮正中《玉樓春》詞：「芳菲次第長相續，自是情多無處足。尊前百計得春歸，莫爲傷春眉黛蹙。」⑥永叔一生似專學此種。

注釋 ①梅聖俞：梅堯臣（一〇〇二—一〇六〇），字聖俞，宣州宣城（今安徽宣城）人。因宣城古稱宛陵，故世稱宛陵先生。梅堯臣專力于詩歌，其詩開宋詩風氣之先。②梅堯臣《蘇幕遮・草》：露堤平，煙墅杳。亂碧萋萋，雨後江天曉。獨有庾郎年最少。窣地春袍，嫩色宜相照。 接長亭，迷遠道。堪怨王孫，不記歸期早。落盡梨花春又了。滿地殘陽，翠色和煙老。（其中「事」「斜」原文有誤。）③劉融齋：劉熙載（一八一三—一八八一），字融齋，江蘇興化人，清末學者。④少游：秦觀，字少游，一字太虛，號淮海居士，宋著名詞人。⑤少游一生似專學此種：引自劉載熙《藝概・詞曲概》：「少游詞有小晏之妍，其幽趣則過之。聖俞《蘇幕遮》云：『落盡梨花春又了。滿地殘陽，翠色和煙老』，此一種似爲少游開先。」⑥馮延巳《玉樓春》：雪雲乍變春雲簇，漸覺年華堪縱目。北枝梅蕊犯寒開，南蒲波紋如酒綠。芳菲次第長相續，自是情多無處足。尊前百計得春歸，莫爲傷春眉黛蹙。

今譯 梅堯臣的《蘇幕遮》詞中云：「落盡梨花春又了。滿地殘陽，翠色和煙老。」劉熙載說：秦觀一生好像專門學習這種意境。我認爲：馮延巳的《玉樓春》詞：「芳菲次第長相續，自是情多無處足。尊前百計得春歸，莫爲傷春眉黛蹙。」歐陽修一生好像專門學習這種意境。

【評點·賞析】這條文論是論述秦觀詞和歐陽修詞的風格差异，所引用的梅堯臣的詞纏綿哀怨，含蓄蘊藉，與秦觀的詞風格相近，而所引馮延巳的詞在纏綿哀怨中已經有了别樣的情致，讀者能夠感受到一種達觀和灑脱，歐陽修的詞風格正與此相近，故而有了上面的說法。

值得注意的是，馮延巳的詞和歐陽修的詞因爲在風格上極其相近，故而後人編纂的詞集中將二人的詞作混淆了很多，如上面注釋⑨中所引的詞就不見于馮延巳最初版的《陽春集》，而出現在歐陽修的作品集《歐陽文忠公近體樂府》，這些詞具體爲哪位所作，看來會成爲永遠的謎案，當然這也從另一方面說明了二者詞風的相似。

二三

人知和靖①《點絳唇》②、聖俞《蘇幕遮》、永叔《少年遊》③三闋爲詠春草絶調。不知先有正中「細雨濕流光」④五字，皆能攝春草之魂者也。

【注釋】①和靖：林逋（九六七—一〇二八），字君復，錢塘（今浙江杭州）人。早年浪游江湖，後隱居于杭州孤山。不娶不仕，種梅養鶴，號稱「梅妻鶴子」，卒謚和靖先生，爲宋初隱逸詩人的代表。②林逋《點絳唇·草》：金穀年年，亂生春色誰爲主。餘花落處，滿地和煙雨。　又是離歌，一闋長亭暮，王孫去。萋萋無數，南北東西路。③歐陽修《少年遊》：闌干十二獨憑春，晴碧遠連雲。千里萬里，二月三月，行色苦愁人。　謝家池上，江淹浦畔，吟魄與離魂。那堪疏雨滴黄昏，更特地憶王孫。④馮延巳《南鄉子》：細雨濕流光，芳草年年與恨長。煙鎖鳳樓無限事，茫茫。鸞鏡鴛衾兩斷腸。　魂夢任悠揚，睡起楊花滿繡床。薄幸不來門半掩，斜陽。負你殘春淚幾行。

【今譯】人們衹知道林逋的《點絳唇》、梅聖俞的《蘇幕遮》、歐陽修的

《少年遊》三首詞爲吟詠春草的絶唱。不知道先前馮延巳已有「細雨濕流光」之句，深刻地體現了春草的特性。

評點·賞析 我國古代的繪畫，講究氣韻神似，在「形」和「神」之間，凡舉大家都選擇在後者上下功夫，詞的創作也是如此，所謂「攝春草之魂」者，便是忽視春草之形，而從不同的角度描繪其「神」者。

林逋的《點絳唇·草》是一首春日送別之詞：故友漸漸消失在莽莽的草原，斜陽映照之下，天地分外空曠無際，這種空曠寂寥引起了作者的極大感慨，人說草木無情人有情，但是望著摯友漸行漸遠的背影，這滿腔的離情無以揮發，作者此時寧願化作無情無義的春草，來了卻這份離情，但這畢竟是不可能的，萋萋的芳草依然是芳草，縱使是離愁滿目也是如此，自己依然是自己，最後衹得一聲嘆息做個了斷；梅堯臣《蘇幕遮·草》中的「落盡梨花春又了。滿地殘陽，翠色和煙老」也是詠春草的名句，借用春草的由嫩變老的自然過程，表達了傷春去嘆老來的心情，情與景結合得甚爲完美，因而爲人稱道；歐陽修的《少年遊》是傳統的思婦題材的詞，他用明快的

春光來反襯思婦孤寂的處境，以迷人的春色來暗示思婦的思人之苦，一語雙關，「離恨恰如春草，更行更遠還生」，歐陽修沒著一個「草」字，成功地表達了同樣的意思；「細雨濕流光」一説是李後主的詞，也是寫睹春懷人的，細雨連綿不絶，是其形，流光閃爍不定，是其貌，二者以濕相銜，把細雨中搖曳的芳草寫得栩栩如生，如在眼前，而這恰如少女的心扉：濕濕的離愁，綿綿的思情。

二四

《詩·蒹葭》①一篇，最得風人深致②。晏同叔③之「昨夜西風凋碧樹。獨上高樓，望盡天涯路」④意頗近之。但一灑落，一悲壯耳。

獨上高樓望盡天涯路語出晏殊鵲踏枝一作蝶戀花寫離別傷痛

注釋 ①《詩經·秦風·蒹葭》：蒹葭蒼蒼，白露爲霜。所謂伊人，在水一方。溯洄從之，道阻且長。溯游從之，宛在水中央。蒹葭凄凄，白露未晞。所謂伊人，在水之湄。溯洄從之，道阻且躋。溯游從之，宛在水中坻。蒹葭采采，白露未已。所謂伊人，在水之涘。溯洄從之，道阻且右。溯游從之，宛在水中沚。②風人深致：

風人即詩人。《詩經》中有十五國風，其作者被稱爲風人，後成爲詩人的代稱。深致：達到精微精深的境界。③晏同叔：晏殊（九九一—一〇五五），字同叔，臨川（今屬江西）人。景德年間進士。宋仁宗的時候，官至宰相。死後謚號元獻，故又被稱爲晏元獻。他是北宋初期的重要詞人，歐陽修、范仲淹等著名詞人或出其門下，或爲其幕僚，因此晏殊又被後人推爲「北宋倚聲家初祖」。晏殊工于造語，其一生安逸富貴，故而他的詞作雍容和緩，温潤秀潔。雖然内容多是抒寫相思離别之苦，含情凄婉，但是憂愁之中往往透露出對人生的反思和感悟，深爲後人稱許。④晏殊：《鵲踏枝》（一作《蝶戀花》）檻菊愁煙蘭泣露。羅幕輕寒，燕子雙飛去。明月不諳離恨苦。斜光到曉穿朱户。　昨夜西風凋碧樹。獨上高樓，望盡天涯路。欲寄彩箋兼尺素。天長水闊知何處。

今譯 《詩經·蒹葭》一篇最能體現詩人深遠的情致。晏殊的詞「昨夜西風凋碧樹。獨上高樓，望盡天涯路」其意境與《蒹葭》一篇很接近。衹是《蒹葭》情調灑脱，晏殊詞情調悲壯。

評點·賞析 文論中所舉的作品都是懷人之作，《蒹葭》一篇用語樸實、真摯、自然，很容易就能讓人置身于午後的陽光、黄白相間的蘆葦蕩、寬闊的河面、清澈回蕩的波紋、滿含著秋意的風，詞裏的主人公倒背著雙手在其間慢行，雖然所懷之人經歷一番求索仍不可得，但視野之中的滿目秋色因爲足以饗享，所以其間有一種灑落的情致；晏殊之詞，也是獨孤一人在思人，但因爲一個「凋」字、一個「獨」字、一個「盡」字，把天涯茫茫，長路漫漫，秋風漸起，伊人遠隔，難以想見的情懷都表露無遺，而明知道「山長水闊知何處」，卻依然「獨上高樓，望盡天涯路」，依然「欲寄彩箋兼尺素」，這其中悲壯的意味就很濃了。

二五

「我瞻四方，蹙蹙靡所騁。」①詩人之憂生也。「昨夜西風凋碧樹。獨上高樓，望盡天涯路」似之。「終日馳車走，不見所問津。」②詩

人之憂世也。「百草千花寒食路，香車繫在誰家樹」③似之。

注釋 ①《詩經・小雅・節南山》第七章，原詩此節爲：「駕彼四牡，四牡項領，我瞻四方，蹙蹙靡所騁。」②陶潛《飲酒》第二十首：羲農去我久，舉世少復真。汲汲魯中叟，彌縫使其純。鳳鳥雖不至，禮樂暫得新。洙泗輟微響，漂流逮狂秦。詩書復何罪，一朝成灰塵。區區諸老翁，爲事誠殷勤。如何絶世下，六籍無一親？終日馳車走，不見所問津。若復不快飲，空負頭上巾。但恨多謬誤，君當恕罪人。③馮延巳《鵲踏枝》：幾日行雲何處去？忘卻歸來，不道春將暮。百草千花寒食路，香車繫在誰家樹？ 淚眼倚樓頻獨語。雙燕來時，陌上相逢否？撩亂春愁如柳絮，悠悠夢裏無尋處。

今譯 「我瞻四方，蹙蹙靡所騁。」這是詩人對于生命的感慨。「昨夜西風凋碧樹。獨上高樓，望盡天涯路」與之相似。「終日馳車走，不見所問津。」這是詩人對于世事的嗟嘆。「百草千花寒食路，香車繫在誰家樹」與

之相似。

評點·賞析 憂生之作是抒寫對生命的憂患的作品，抒發一種對生命本身的叩問，具有某種終極的意義暗含在裏面，在這層意義上，悲愴是它的主旋律；而憂世之作相比起來則要具體得多，從大的方面說，它可以是作者對人世的憂患，從小的方面講，它可以是對人生的悲歡離合的摹寫，除了王國維先生所講的這兩種外，當然還有第三種，即同時抒寫憂生和憂世的作品，其中最典型的例子莫過于屈原的《離騷》。

二六

古今之成大事業、大學問者，必經過三種之境界：「昨夜西風凋碧樹。獨上高樓，望盡天涯路。」此第一境也。「衣帶漸寬終不悔，爲伊消得人憔悴。」①此第二境也。「衆裏尋他千百度，回頭驀見，那人正在燈火闌珊處。」②此第三境也。此等語皆非大詞人不能道。然遽以此意解釋諸詞，恐爲晏、歐諸公所不許也。

注釋 ①歐陽修《蝶戀花》：佇倚危樓風細細，望極春愁，黯黯生天際。草色煙光殘照裏，無言誰會憑闌意。 擬把疏狂圖一醉，對酒當歌，强樂還無味。衣帶漸寬終不悔，爲伊消得人憔悴。（此詞不爲歐陽修所作，實爲柳永所作，爲王國維先生的失誤。）

②辛棄疾《青玉案·元夕》：東風夜放花千樹。更吹落，星如雨。寶馬雕車香滿路。鳳簫聲動，玉壺光轉，一夜魚龍舞。 蛾兒雪柳黄金縷，笑語盈盈暗香去。衆裏尋他千百度，驀然回首，那人卻在，燈火闌珊處。

今譯 古今那些成就大事業、大學問的人，都必定要經歷三種境界：「昨夜西風凋碧樹。獨上高樓，望盡天涯路。」這是第一境界。「衣帶漸寬終不悔，爲伊消得人憔悴。」這是第二境界。「衆裏尋他千百度，回頭驀見，那人正在燈火闌珊處。」這是第三境界。這些話衹有大詞人才能講得出來。而我卻用這樣的意思來解釋上面這些詞，恐怕晏殊、歐陽修等人是不會同意的吧。

評點·賞析 以上便是王國維先生著名的三境界說，它是對成功的創業之路和治學之路的形象描述和精準概括，所有成大事業、大學問的人都不可能是一蹴而就，而是經歷了長期的探索和追求，經歷了失落與彷徨，最終而憑借其堅忍不拔、不屈不撓的精神創造出來的。第一境界是一種悲壯的境界，你可能選擇了一條充滿了荊棘的道路，你可能會面對太多异樣的眼神，你可能會茫然不知所措，你可能會萌生出打退堂鼓的念頭，「昨夜西風凋碧樹。獨上高樓，望盡天涯路」。彷徨之後，望盡之後，你最終還是選擇了義無反顧地走下去，任探索之艱巨、自己形容之枯槁，都不以爲意，終于以百折不回之精神，你走向了成功。「衆裏尋他千百度，驀然回首，那人卻在，燈火闌珊處」，許多學者認爲這其中蘊涵了一種成功的必然之中的偶然性，在筆者看來，這固然是其中的一方面，然而更深一層的意思則是一種超越了成功的喜悅，而帶有一種近似佛家的徹悟的意味了。

二七

永叔「人間自是有情癡，此恨不關風與月」「直須看盡洛城花，始與東風容易別」①於豪放之中有沈著之致，所以尤高。

注釋 ①歐陽修《玉樓春》：尊前擬把歸期說，未語春容先慘咽。人生自是有情癡，此恨不關風與月。　離歌且莫翻新闋，一曲能教腸寸結。直須看盡洛城花，始共春風容易別。

今譯 歐陽修「人間自是有情癡，此恨不關風與月」「直須看盡洛城花，始與東風容別」兩句詞，在豪放之中蘊涵著深沈的情致，所以尤其高于（同時期同題材的）其他作品。

評點・賞析 在歐陽修生活的北宋前期，五代時興盛的花間詞風仍然有相當的影響，歐陽修也不例外，他也多寫婉約之詞，但他卻不滿足于純粹婉約，而是在婉轉之中時時透露出一種豪放的意興。就本詞而言：上篇是女子的「春容慘咽」，傷別之情躍然紙上，活脫脫的婉約之人。下篇腸尚寸結，卻謂「直須看盡洛城花」完全是一種遣玩的意興。何以如此？不忍此番離別，故作壯語以掩其傷心，雖然目的在于「容易別」，但是最後一個「別」字于無聲處已然淚水縱橫。這種欲抑還揚的情緒，使離別之苦表現得更加淋灕盡致，使人生的無奈展現得婉轉纏綿。王國維先生所說的「于豪放之中有沈著之致」恰好說明了歐陽修詞的這一特色。

二八

馮夢華①《宋六十一家詞選·序例》謂：「淮海②、小山③，古之傷心人也。其淡語皆有味，淺語皆有致。」余謂：此唯淮海足以當之。小山矜貴有餘，但可方駕子野④、方回⑤，未足抗衡淮海也。

注釋

①馮夢華：近代詞人馮煦（一八四三—一九二七），他從毛晉所刻的《宋六十一家詞》中選擇精華，寫成《宋六十一家詞選》，文論中所引的原文是：「淮海、小山，真古之傷心人也，其淡語皆有味，淺語皆有致，求之兩宋詞人，實罕其匹。」②淮海：秦觀，因爲號「淮海居士」，所以這樣稱呼他。③小山：晏幾道（一〇三八—一一一〇），字叔原，號小山，撫州臨川（今江西撫州）人，晏殊第七子。故又稱「小晏」，又因爲與其父晏殊都是著名詞人，因而又把二人合稱「二晏」，晏幾道一生耿介孤傲，黄庭堅曾説他有四癡：「仕宦連蹇，而不能一傍貴人之門，是一癡也；論文自有體，不肯一作新進士語，此又一癡也；費資千百萬，家人寒饑而面有孺子之色，此又一癡也；人百負之而不恨，已信人，終不疑其欺已，此又一癡也。」由于他經歷了家道中落，而又有上述「四癡」，因而他的詞一洗他父親那種溫潤平淡、圓融嫻雅的氣息而顯得沈鬱悲涼，時時流露出凄楚哀怨的傷感情調。④子野：張先（九九〇—一〇七八），字子野，烏城（今浙江湖州）人，北宋詞人。⑤方回：賀鑄（一〇五二—一一二五），字方回，衛州（今河南衛輝）人，北宋詞人。

今譯

馮煦在《宋六十一家詞選序例》中說：秦觀、晏幾道，是古之傷心人也。他們的詞用語平淡卻回味悠長，語言淺顯卻富有情致。我認爲這種評論衹有秦觀才能擔當。晏幾道矜持華貴有餘，衹能和張先、賀鑄並駕齊驅，而不足以與秦觀相抗衡。

評點·賞析

晏幾道因爲特殊的生活經歷，和上面注釋中黄庭堅説的他的「四癡」，而導致他把對愛情生死不渝的追求作爲自己的精神寄託，而寫出了許多專注于情的如夢如幻、回腸蕩氣的作品。當愛已成往事，剩下的就衹有追憶，晏幾道的傷心就在這一方面，而他的作品也著重于抒寫和追憶這種傷心的感覺。秦觀的詞雖然也有很多傷心的成分在裏面，但他的著力點並不僅僅是我情我性的表達，而是更近一步，開始詰問人生的悲愴和宇宙的無常，用王國維先生前面的文論說就是，他抒寫的是「憂生」的作品。從這層意義上說，二者是不能並駕齊驅的。

二九

少游詞境最爲凄婉。至「可堪孤館閉春寒，杜鵑聲裏斜陽暮」①，則變而凄厲矣。東坡賞其後二語②，猶爲皮相。

注釋 ①秦觀《踏莎行》：見文論第三條注釋②。②胡仔《苕溪漁隱叢話》引惠洪《冷齋夜話》云：「東坡絶愛其尾兩句，自書于扇曰：『少游已矣，雖萬人何贖。』」（尾兩句指「郴江幸自繞郴山，爲誰流下瀟湘去。」）

今譯 秦觀的詞境最爲凄婉。至于「可堪孤館閉春寒，杜鵑聲裏斜陽暮」，則就更加變爲凄厲了。蘇軾特別欣賞這首詞最後兩句，可見其理解還是浮于表面。

評點·賞析 「可堪孤館閉春寒，杜鵑聲裏斜陽暮。」這兩句詞的意境我們將在下一篇文論中具體加以分析，這裏需要重點分析的是王國維先生所說的「蘇東坡之皮相」是否真的如此，首先「郴江幸自繞郴山，爲誰流下瀟湘去」這兩句詞是說：郴江本來是繞著郴山轉的，爲什麼他又流到瀟湘那邊去了？這句話其實含義極爲深刻，其本意是借對郴江的責問來詰問自己：我本來是一個小京官，安分守己地幹下去不是也挺好的嗎，我幹嗎還要捲進那些政治旋渦裏去，惹一身的麻煩最後落得這樣一個可悲的下場呢？蘇軾跟秦觀在這一點上是相似的，他因爲「烏臺詩案」而受貶謫，同樣也是因爲捲入政治旋渦而吃了很多苦頭，因而蘇軾讀到這兩句的時候自然引起深刻的共鳴，愛不釋手也就在意料之中了，而作爲一代大師的王國維先生，卻因爲缺少了這種相似的經歷而未能悟到這一層，這就足以讓我們反思共情之難的問題了。

三十

「風雨如晦，鷄鳴不已」①「山峻高以蔽日兮，下幽晦以多雨；霰雪紛其無垠兮，雲霏霏而承宇」②「樹樹皆秋色，山山唯落暉」③「可堪孤館閉春寒，杜鵑聲裏斜陽暮」④氣象皆相似。

注釋 ①見《詩經·鄭風·風雨》：風雨凄凄，鷄鳴喈喈。既見君子，云胡不夷。風雨瀟瀟，鷄鳴膠膠。既見君子，云胡不瘳。風雨如晦，鷄鳴不已。既見君子，云胡不喜。②《楚辭·九章·涉江》節録：入溆浦餘儃佪兮，迷不知吾所如。深林杳以冥冥兮，乃猨狖之所居。山峻高以蔽日兮，下幽晦以多雨，霰雪紛其無垠兮，雲霏霏而承宇。哀吾生之無樂兮，幽獨處乎山中。吾不能變心而從俗兮，固將愁苦而終窮。③王績《野望》：東皋薄暮望，徙倚欲何依？樹樹皆秋色，山山唯落暉。牧人驅犢返，獵馬帶禽歸。相顧無相識，長歌懷采薇。④秦觀《踏莎行》，見文論第三條注釋②。

今譯 「風雨如晦，鷄鳴不已」「山峻高以蔽日兮，下幽晦以多雨；霰雪紛其無垠兮，雲霏霏而承宇」「樹樹皆秋色，山山唯落暉」「可堪孤館閉春寒，杜鵑聲裏斜陽暮」氣象都很相似。

評點·賞析 陳鴻祥先生編著的《人間詞話·人間詞注評》中對此有相當精彩的分析，兹錄之：「風雨如晦，鷄鳴不已」，這是《詩經》中膾炙人口的名句。原詩寫女子在雨急風驟、天暗黑如夜，鷄不停地叫著的時候，焦急地等待著情人的到來，「如晦」寫心頭重壓，「鷄鳴」則是烘託期盼；這與屈原的「山峻高以蔽日兮，下幽晦以多雨，霰雪紛其無垠兮，雲霏霏而承宇」何其相似，都是以景境寫出了心境。所不同者，屈原以「蔽日」「幽晦」寫楚王昏庸，而以紛飛的霰雪、漫天的淫雨，抒發他被放逐途中的憂國憂民之情懷，由屈賦轉入唐代詩人王績的「樹樹皆秋色，山山唯落暉」這原是寫山秋野景，看似閑適，實際上卻抒寫著詩人彷徨無依的苦悶，故雖無「風雨」「霰雪」，卻有著「如晦」「幽晦」同一的「氣象」，這就是「山山唯落暉」。詩人在薄暮中見到秋色籠罩著樹木，在夕陽的餘暉中越發顯出環境的冷清蕭瑟，正是在這秋色和落暉的景象中，濡染著詩人「以我觀物」的心境，湧動著情感的波瀾；而這恰似秦觀「被讒寫照」的「孤館」「斜陽」詞所抒發的「春寒」之情，這樣，王國維引《詩經》及屈原、王績的詩作，以證秦觀詞「氣象」之相似，實際上也佐證了他說的「境界有大小，然不以是而分優劣」。風雨如晦，霰雪無垠，當然比樹樹秋色，孤館春寒之境界大，然而，其「氣象」同樣開闊，而具有無窮的藝術魅力。

三一

昭明太子①稱陶淵明詩「跌宕昭彰，獨超眾類，抑揚爽朗，莫之與京。」②王無功③稱薛收④賦「韻趣高奇，詞義晦遠。嵯峨蕭瑟，真不可言。」詞中惜少此二種氣象，前者惟東坡，後者惟白石⑤略得一二耳。

注釋 ①昭明太子：蕭統（五〇一—五三一），字德施，南朝梁武帝蕭衍長子。武帝天監元年（五〇二）立為皇太子，未即位而卒，謚昭明，世稱昭明太子。蕭統信佛能文，編輯《文選》三十卷，對後世影響極深。②蕭統《陶淵明集序》：「其文章不群，詞采精拔跌宕昭彰，獨超衆類，抑揚爽朗，莫之與京。橫素波而傍

流，干青雲而直上。語時事則指而可想，論懷抱則曠而且真。」③王無功：王績（五八九—六四四），字無功，號東皋子，絳州龍門（今山西河津）人。其詩歌寧靜淡泊，樸厚疏野，為初唐時期重要的詩人。④薛收：字伯褒，隋朝詩人薛道衡之子，隋末唐初詩人。《王無功集》卷下《答馮子華處士書》：「吾見薛收《白牛溪賦》，韻趣高奇，詞義晦遠。嵯峨蕭瑟，真不可言。壯哉！邈乎揚、班之儔也。高人姚義常語吾曰『薛生此文，不可多得，登太行，俯滄海，高深極矣』。」⑤白石：姜夔（約一一五五—一二二一），字堯章，號白石道人，鄱陽（今江西波陽）人，南宋著名詞人。

今譯 蕭統稱陶淵明的詩「跌宕昭彰，獨超眾類，抑揚爽朗，莫之與京。」王績稱薛收的賦「韻趣高奇，詞義晦遠。嵯峨蕭瑟，真不可言。」可惜諸家詞中都缺少這兩種氣象。前者衹有蘇軾足以當之，後者衹有姜夔略有體現。

評點·賞析 文論中所說的「兩種氣象」，我們可以近似地理解為兩種風

格，即如陶淵明般豪放曠達、明快爽朗的風格和如薛收賦一般旨趣高奇、意蘊綿長的風格，就蘇軾而言，作爲宋詞豪放派的代表，他的詞徹底地衝破了所謂的五代風格，步李後主之後塵，以詞作抒情言志，擴寬了宋詞的疆域，提升了宋詞的品格；姜夔作爲南宋詞人的重要代表，他的詞多用低沈哀怨的基調，抒寫個人幽獨冷僻的情感，詞句相當精美，又因爲他精通音律，使得其詞又具備了一種婉麗的音調之美，以至于被王國維先生稱爲「古今詞人格調之高，無如白石」（參見文論第四十二條）。

同時我們還要注意的一點是：體裁的差异會導致表達側重點的不同。詞以長短句的形式出現，這在表達幽婉細膩的情思是很有優勢的，它比起陶淵明古拙的五言詩和薛收莊重典雅的賦，氣象肯定是不同的，在這一點上我們不能強求。

三二

詞之雅鄭①，在神不在貌。永叔、少游雖作艷語，終有品格。方之美成②，便有淑女與倡伎之別。

注釋 ①雅鄭：指典雅與淫逸粗俗。《詩經》中有《鄭風》《衛風》，其中多涉及男女情事，歷代説詩者多以淫詩目之。後遂以「鄭衛之音」代指淫靡粗俗的文學作品或音樂。②美成：周邦彥（一〇五六—一一二一），字美成，號清真居士，錢塘（今浙江杭州）人，北宋著名詞人。

今譯 詞的雅正淫靡的分別，在于它內在的神韻而不在它的表現形式。歐陽修和秦觀雖然都寫過艷麗之詞，但終究是有品格的。比起周邦彥來，便有清純淑女和娼妓歌女的區別。

評點·賞析 王國維先生對于「真性情」是相當看重的，他甚至敢于直言欣賞古詩十九首中赤裸裸的描寫女子情欲的「淫詞」，就因爲它寫了「真性情」，這一點在後面我們會論述，那麼，他對于詞的雅正淫靡的判斷標準是什麼呢？這則文論給出了他的觀點：「詞之雅鄭，在神不在貌」，比如歐陽修寫一位歌女在早晨梳妝時的感嘆之作《訴衷情》：「清晨簾幕捲輕霜，呵手試梅妝。都緣自有離恨，故畫作遠山長。 思往事，惜流芳，易成傷。擬歌先斂，欲笑還顰，最斷人腸。」全詞描寫的是一個歌女的生活片段，展示的是歌女的內心世界，可謂艷詞，但是讀者讀後並不會有「淫」的感覺，而是產生對歌女無法獲得幸福的生活卻爲生計而被迫賣唱的深切同情；秦觀那首著名的《鵲橋僊》：「纖雲弄巧，飛星傳恨，銀漢迢迢暗度。金風玉露一相逢，便勝卻人間無數。　柔情似水，佳期如夢，忍顧鵲橋歸路。兩情若是久長時，又豈在朝朝暮暮。」其最後兩句已經成爲歌詠愛情的絕唱；而周邦彥的詞，雖然被稱爲「富艷精工」，但是他和歌伎舞女交往甚密，過著一種和柳永很相似的眠花宿柳的生活，因而他的很多艷詞衹是在摹寫這種生活，帶給人的也就衹是經過華麗包裝的欲望，比如他的《蝶戀花》：「月皎驚烏棲不定，更漏將闌，轆轤牽金井。喚起兩眸清炯炯，淚花落枕紅綿冷。　執手霜風吹鬢影，去意徘徊，別語愁難聽。樓上闌干橫斗柄，露寒人遠鷄相應。」讀者可以體會一下。

三三

美成深遠之致不及歐、秦①。唯言情體物，窮極工巧，故不失爲第一流之作者。但恨創調之才多，創意之才少耳。

注釋　①歐、秦：歐陽修和秦觀，這一則文論是承上一節而來的。

今譯　周邦彥深遠的情致比不上歐陽修和秦觀，唯有抒情寫景，極爲工緻精巧，所以仍不失爲第一流的詞人。然而遺憾的是，他創新曲調的才能多，創新詞意的才能少。

評點·賞析　這一文論是承上一節而來的，上一則批評了周邦彥的一部分詞的境界不高，在這一則中則指出，周邦彥的詞並不是一無是處，他的抒情寫景是相當有水平的，甚至在有些苛刻的王國維先生看來，周邦彥能位列第一流詞人的行列，對其藝術成就給予了充分的肯定，這種評論的態度也是很值得我們學習的。

三四

詞忌用替代字。美成《解語花》①之「桂華流瓦」，境界極妙。惜以「桂華」二字代月耳。夢窗②以下，則用代字更多。其所以然者，

非意不足，則語不妙也。蓋意足則不暇代，語妙則不必代。此少游之「小樓連苑」「繡轂雕鞍」③，所以爲東坡所譏也④。

注釋 ①周邦彥《解語花·上元》：風銷焰蠟，露浥紅蓮，花市光相射。桂華流瓦。纖雲散，耿耿素娥欲下。衣裳淡雅。看楚女纖腰一把。簫鼓喧，人影參差，滿路飄香麝。 因念都城放夜。望千門如畫，嬉笑游冶。鈿車羅帕。相逢處，自有暗塵隨馬。年光是也。惟衹見、舊情衰謝。清漏移，飛蓋歸來，從舞休歌罷。②夢窗：吴文英（約一二〇七——一二六九），字君特，號夢窗，又號覺翁，四明鄞縣（今浙江寧波）人。南宋詞人。③秦觀《水龍吟》：小樓連苑橫空，下窺繡轂雕鞍驟。朱簾半捲，單衣初試，清明時候。破暖輕風，弄晴微雨，欲無還有。賣花聲過盡，斜陽院落，紅成陣、飛鴛甃。 玉佩丁東別後。悵佳期、參差難又。名韁利鎖，天還知道，和天也瘦。花下重門，柳邊深巷，不堪回首。念多情，但有當時皓月，向人依舊。④黄昇的《花庵詞選》記載：秦少游自會稽入京，見東坡……（東坡）問別作何詞，秦舉「小樓連苑橫空，下窺繡轂雕鞍驟」。坡云：「十三個字，衹説得一個人騎馬樓前過。」秦問先生近著，坡云：「亦有一詞説樓上事。」乃舉「燕子樓空，佳人何在，空鎖樓中燕」（按，即蘇軾的《永遇樂》詞）。晁無咎（按，即晁補之）在座，云：「三句説盡張建封燕子樓一段事，奇哉。」

今譯 作詞最忌諱用替代字。周邦彥《解語花》詞中「桂華流瓦」一句境界極妙，可惜以「桂華」二字代替了「月」字。吴文英以後的詞人用替代字的更多。之所以會這樣，不是意境不足，就是用語不夠巧妙。如果用語巧妙，根本不用替代；如果意境完足，更不用多此一舉。這就是秦觀詞中「小樓連苑」「繡轂雕鞍」兩句話被蘇軾所譏諷的原因。

評點·賞析 對于此則文論學術界也有爭論，爭論的焦點在于「詞忌用代替字」上，一部分學者認爲：王國維此論極有見地。文學作品不是射覆猜謎，追求語言的陌生化從而爲整個作品帶來活力的努力不應該是技術性的，一切都應當歸結到它賴以生存的本根上去，這就是：詩人最真實的自我感受和敏鋭並且高明的審美眼光（吴洋《人間詞話手稿本全編》）。從這一點上出發，以文論中所舉的「桂華流瓦」爲例，一個「流」字，寫出了月光的閃爍飛動之感，所刻畫的境界極其精妙，但以「桂華」代「月」則有陳濫之感，直接用成「月華流瓦」，不僅與意無害，而且使境界變得格外明朗流麗；另一部分學者則認爲，「忌用」實際上意味著一棍子打死，這種説法是不嚴謹的，還是以「桂華流瓦」爲例，吴小如在《詩詞札叢》中寫道：「我認爲，這首詞的好處，就在于沒落入燈月交輝的俗套。作者一上來寫燈火通明，已極工巧之能事；此處轉而寫月，則除了寫出月色的光輝皎潔之外，還寫出它的姿容絶代，色香兼備，『桂華』一語，當然包括月中有桂樹和桂子飄香（如白居易《憶江南》：『山寺月中尋桂子』）兩個典故，但更主要的卻是爲下面『耿耿素娥欲下』一句作鋪墊。既然嫦娥翩翩欲下，她當然帶著女子特有的香氣，而嫦娥身上所散發出來的香氣正應如桂花一般，因此這桂華二字就不是陳詞濫調了。」這一分析是很有説服力的，就筆者個人而言也很贊成這種説法，認爲王國維先生在這個問題上有些偏激，但並不是不可以理解，因爲自吴文英以下，用代替字成風，「其所以然者，非意不足，則語不妙也」，這樣寫出的詞是沒有什麽欣賞價值的，王國維先生對此很有些深惡痛絶的意思，因而出言就重了些，這就好比魯迅早期的雜文裏對中醫的全盤否定一樣，因爲其父被庸醫所害，因此他對中醫也深惡痛絶了。

三五

沈伯時①《樂府指迷》云：「説桃不可直説破桃，須用『紅雨』②『劉郎』③等字，説柳不可直説破柳，須用『章臺』④『灞岸』⑤等字。」若惟恐人不用代字者。果以是爲工，則古今類書具在，又安用詞爲耶？宜爲《提要》所譏也⑥。

注釋　①沈伯時：沈義夫，字伯時，南宋詞論家。②紅雨：李賀《將進酒》有詩云：「況是青春日將暮，桃花亂落如紅雨。」後人借用「紅雨」來代指桃花或落花。③劉郎：劉禹錫（七七二—

八四二),字夢得,洛陽(今屬河南)人,唐代著名詩人。他因爲參加王叔文集團,反對宦官專權和藩鎮割據而被貶朗州司馬、遷連州刺史,在離開京城十多年後又回京任職,寫下了很多感懷之作,如《遊玄都觀詠看花諸君子》詩云「玄都觀裏桃千樹,總是劉郎去後栽」,後又作《游玄都觀》詩云「種桃道士今何在,前度劉郎今又來」。後人遂借「劉郎」代指桃花。④章臺:漢長安章臺下街名章臺街,乃歌伎聚居之所。孟棨《本事詩》記載:唐朝進士韓翃負才名,與妓柳氏相愛悦。後韓翃出爲淄青節度使侯希逸從事,柳氏留居都下。三年後,韓翃以《章臺柳》遠寄柳氏,云:「章臺柳,章臺柳,往日青青今在否?縱使長條似舊垂,亦應攀折他人手。」柳氏以《楊柳枝》相答:「楊柳枝,芳菲節,可恨年年贈離别。一葉隨風忽報秋,縱使君來豈堪折。」後來韓翃隨侯希逸入京,尋訪柳氏,但柳氏已爲番將沙叱利所劫。淄青節度帳下虞侯許俊爲韓翃奪回柳氏,而侯希逸也爲此事上表,終于將柳氏判歸韓翃。後世遂以「章臺」喻柳,又以「章臺柳」借指青樓女子。⑤灞岸:灞陵岸。灞水流經長安東灞陵,有橋名灞橋,送客至此,折柳贈别。李白《憶秦娥》中云:「年年柳色,灞陵傷别。」(全詞見本書文論第十條注釋)後人遂以「灞岸」代指柳或送别。⑥《四庫全書總目提要》卷十九《集部·詞曲類二》沈伯時《樂府指迷》條下云:「又謂説桃不可直説破桃,須用『紅雨』『劉郎』等字,説柳不可直説破柳,須用『章臺』『灞岸』等字,説書須用『銀鉤』等字,説淚須用『玉筯』等字,説髮須用『緑雲』等字,説簟須用『湘竹』等字,不可直説破。其意欲避鄙俗,而不知轉成塗飾,亦非確論。」

【今譯】沈義夫在《樂府指迷》中説:「説桃不可直接説桃,須用『紅雨』『劉郎』等字,説柳不可直接説柳,須用『章臺』『灞岸』等字。」這種説法唯恐别人不用替代字。如果衹有這樣才算工整,那麼古今類書具在,還作什麼詞呢?難怪他的説法被《四庫提要》所批評。

評點·賞析 這則文論和上一條一樣，還是在論述替代字的問題。

上面已經說過，一味地追求用「替代字」實際上是走上了一個極端，而像王國維先生說到「忌用」的時候，也就頗有矯枉過正的意味了，而事實上，他本人並不是一概反對用替代字。後面的文論中，他對蘇軾的《水龍吟》極爲贊賞，而其中的「不恨此花飛盡，恨西園，落紅難綴」便是以「紅」代「花」，這樣不僅避免了與前面的花的重複，更給人以強烈的視覺刺激。「夢隨風萬里，尋郎去處，又還被，鶯呼起」，其中化用了金昌緒的《春怨》：「打起黃鶯兒，莫教枝上啼。啼時驚妾夢，不得到遼西。」但是這裏的化用渾然天成，不知道這首唐詩的讀者讀到此處也不會有「隔」的感覺，而看出用典的讀者則會更加佩服作者的高明。由此可見，在用替代字的問題上，王國維先生並沒有他在文論中表現得那麼極端。

三六

美成《青玉案》詞「葉上初陽乾宿雨。水面清圓，一一風荷舉」①，此真能得荷之神理者。覺白石《念奴嬌》②《惜紅衣》③二詞，猶有隔霧看花之恨。

注釋 ①《青玉案》：燎沈香，消溽暑，鳥雀呼晴，侵曉窺簷語。葉上初陽乾宿雨。水面清圓，一一風荷舉。 故鄉遙，何日去。家住吳門，久作長安旅。五月漁郎相憶否？小楫輕舟，夢入芙蓉浦。（當爲周邦彥的《蘇幕遮》，王國維誤記。）②姜夔《念奴嬌》：（予客武陵，湖北憲治在焉。古城野水，喬木參天，予與二三友日蕩舟其間，薄荷花而飲，意象幽閑，不類人境。秋水且涸，荷葉出地尋丈，因列坐其下，上不見日，清風徐來，綠雲自動，間于疏處窺見游人畫船，亦一樂也。揭來吳興，數得相羊荷花中。又夜泛西湖，光景奇絕。故以此句寫之。）鬧紅一舸，記來時、嘗與鴛鴦爲侶。三十六陂人未到，水佩風裳無數。翠葉吹凉，玉容銷酒，更灑菰蒲雨。嫣然搖動，冷香飛上詩句。 日暮，青蓋亭亭，情人不見，爭忍凌波去。祇恐舞衣寒易落，愁入西風南浦。高柳垂陰，老魚吹浪，留我花間住。田田多少，幾回沙際歸路？③姜夔《惜紅衣》：（吴興號水晶宫，荷花盛麗。陳簡齋云：「今年何以報君恩。一路荷花相送到青墩。」亦可見矣。丁未之夏，予游千巖，數往來紅香中，自度此曲，以無射宫歌之。）簟枕邀涼，琴書換日，睡餘無力。細灑冰泉，並刀破甘碧。墻頭唤酒，誰問訊、城南詩客。岑寂。高樹晚蟬，説西風消息。　虹梁水陌，魚浪吹香，紅衣半狼藉。維舟試望故國，眇天北。可惜渚邊沙外，不共美人游歷。問甚時同賦，三十六陂秋色？

今譯 周邦彦《青玉案》詞中雲「葉上初陽乾宿雨。水面清圓，一一風荷舉」，這二句真能得荷花的神韻。由此感到姜夔的《念奴嬌》《惜紅衣》兩首詞，還是有隔物看花的遺憾。

評點·賞析 「葉上初陽乾宿雨，水面清圓，一一風荷舉」是寫夜雨過後，天氣轉晴，初升的太陽曬乾了荷葉上殘留的雨滴，而輕圓的荷葉隨著水的蒸發所承受的壓力逐漸減小而慢慢地在風中立起來，這是一幅極富動態卻又無比輕柔的畫面，細膩地表現了雨後荷花的神韻，這是一種典型的「無

我之境」：作者已經全身心地投入到這自然的美景中，物我相融兩忘，更是一種「不隔之境」。

相對而言，姜夔的詞就是一種「有我之境」，而且作者的「我性」很強，因而他的這兩首詞中缺乏對荷花的景物的具體逼真的描繪。這兩首詞也是詠荷的，但作者衹把荷花作爲一種託物起興的手段，用詞上也衹有「青蓋亭亭」「田田多少」等泛泛的描述，《惜紅衣》中甚至衹有一句「紅衣半狼藉」是寫荷花的。在王國維先生看來，缺少了對荷葉形神的描繪，後面的抒情便成了無源之水無本之木，更由于他不喜歡這種帶有朦朧的意境，因而在肯定姜夔「格韻高絕」「清空靈動」的同時，也對他的「隔」或曰「有隔霧看花之恨」提出批評。

三七

東坡《水龍吟》①詠楊花，和韻而似原唱。章質夫詞②，原唱而似和韻。才之不可強也如是。

注釋 ①蘇軾《水龍吟》（次韻章質夫楊花詞）：似花還似非花，也無人惜從教墜。拋家傍路，思量卻是，無情有思。縈損柔腸，困酣嬌眼，欲開還閉。夢隨風萬里，尋郎去處，又還被、鶯呼起。不恨此花飛盡，恨西園、落紅難綴。曉來雨過，遺蹤何在？一池萍碎。春色三分，二分塵土，一分流水。細看來，不是楊花，點點是離人淚。②章楶《水龍吟》：燕忙鶯懶芳殘，正堤上、柳花飄墜。輕飛亂舞，點畫青林，全無才思。閑趁游絲，靜臨深院，日長門閉。傍珠簾散漫，垂垂欲下，依前被、風扶起。蘭帳玉人睡覺，怪春衣雪沾瓊綴。繡床漸滿，香球無數，才圓卻碎。時見蜂兒，仰粘輕粉，魚吞池水。望章臺路杳，金鞍游蕩，有盈盈淚。

今譯 蘇軾的楊花詞是和韻之作，然而卻仿佛首創。章質夫的詞乃是首創，卻仿佛和韻之作。才質高低難以勉強，正是如此。

評點·賞析 次韻是和韻的一種形式，就是用原韻原字來和他人的詩詞，它的要求相當嚴格，不僅要用原字，而且原字的次序也必須相同，如這兩首詞中句末用字「墜」「思」「閉」「起」「綴」「碎」「水」「淚」，可以想象，在這樣苛刻的限制之下，要寫出有境界之詞的難度有多大。

蘇軾不愧爲一代文豪，在這篇次韻之詞中表現得淋灕盡致。

先說章質夫的《水龍吟》，這是一首中規中矩的詠物詞，走的也是傳統路綫：以寫景狀物起筆，飄落的楊花柳絮「輕飛亂舞」、「静臨深院」，進屋後「垂垂欲下」，卻又轉而被「風扶起」，這段描寫，把柳絮楊花寫活了。下篇緊承上篇而來，寫屋子裏的怨婦看到柳絮飛舞，一如自己的思緒，紛亂飄飛，頓時觸景傷情而致最後淚落盈盈。總體而言，這首詞清麗流暢，寫景狀物都堪稱精彩。

但在蘇軾那裏，同樣的主題卻又是另一番氣象，他也是從寫楊花入起筆，但卻突破了傳統，寫景、狀物、抒情三者在這裏是融合在一起的：「抛家傍路，思量卻是，無情有思」，「縈損柔腸，睏酣嬌眼，欲開還閉」，景中有人，人中有景，景中有情，人更有情。這裏和章質夫的「全無才思」都化用了韓愈的著名詩作《晚春》中的名句「楊花榆莢無才思，惟解漫天作雪飛」，而蘇軾在這裏翻手爲新，將「無才思」的楊花說成「無情有思」，把

思婦睹物思人、觸景傷情刻畫得淋灕盡致。

下篇寫一場春雨過罷，楊花柳絮被打落在地上，找不見了，春雨過處，本來是春意更濃，但從思婦眼中觀之，卻是一幅殘春更殘的氣象，以至于明媚的春色也衹剩了「二分塵土，一分流水」，最後一句則給人觸目驚心之感，「則變爲凄厲矣」，有學者考證這裏化用了唐詩「君看陌上梅花紅，盡是離人眼中血」，這裏的化用之巧妙可謂真正做到了「羚羊掛角，無跡可求」，加上前面提到的黄鶯的典故，在這則次韻的詞中就有三個典故，個個如神來之筆，精彩之極。

由上面的評價我們就不難理解王國維先生爲什麼要給蘇軾的詞這麼高的評價了。

三八

詠物之詞，自以東坡《水龍吟》[1]爲最工，邦卿《雙雙燕》[2]次之。白石《暗香》《疏影》[3]，格調雖高，然無一語道著，視古人「江邊一樹垂垂發」[4]等句何如耶？

注釋 ①見文論第三十七條注釋。②史達祖《雙雙燕》：過春社了，度簾幕中間，去年塵冷。差池欲往，試入舊巢相並。還相雕梁藻井，又軟語商量不定。飄然快拂花梢，翠尾分開紅影。　芳徑，芹泥雨潤。愛貼地爭飛，競誇輕俊。紅樓歸晚，看足柳暗花暝。應自棲香正穩，便忘了、天涯芳信。愁損翠黛雙蛾，日日畫闌獨憑。③姜夔《暗香》：（辛亥之冬，予載雪詣石湖。止既月，授簡索句，且徵新聲，作此兩曲。石湖把玩不已，使工伎隸習之，音節諧婉，乃名之曰：《暗香》《疏影》。）舊時月色，算幾番照我，梅邊吹笛？喚起玉人，不管清寒與攀摘。何遜而今漸老，都忘卻春風詞筆。但怪得、竹外疏花，香冷入瑤席。　江國，正寂寂，嘆寄與路遙，夜雪初積。翠尊易泣，紅萼無言耿相憶。長記曾攜手處，千樹壓、西湖寒碧。又片片吹盡也，幾時見得？《疏影》：苔枝綴玉，有翠禽小小，枝上同宿。客裏相逢，籬角黃昏，無言自倚修竹。昭君不慣胡沙遠，但暗憶江南江北。想佩環月夜歸來，化作此花幽獨。　猶記深宮舊事，那人正睡裏，飛近蛾綠。莫似春風，不管盈盈，早與安排金屋。還教一片隨波去，又卻怨玉龍哀曲。等恁時、重覓幽香，已入小窗橫幅。④杜甫《和裴迪登蜀州東亭送客逢早梅相憶見寄》：東閣官梅動詩興，還如何遜在揚州。此時對雪遙相憶，送客逢春可自由。幸不折來傷歲暮，若爲看去亂鄉愁。江邊一樹垂垂發，朝夕催人自白頭。

今譯 詠物之詞，自然以蘇軾的《水龍吟》爲最工，史達祖《雙雙燕》次之。姜夔的《暗香》《疏影》格調雖高，然而沒有一句話質實，比起古人「江邊一樹垂垂發」等句是否有些遜色呢？

評點·賞析 姜夔的詠物詞，空靈蘊藉，寄託遙深。在若即若離之中，留下極大的想象空間。他的兩首詠梅之作，清空飄逸，別有幽懷，通體透明卻又難于把捉，令人流連于玲瓏的意境，陶醉于沁人心脾的清冷和憂傷。姜夔這兩首詞的高明之處即在于，越是晦澀反而愈加誘人，讀者似乎超脫了搜尋答案的意圖而一次又一次地沈湎于醍醐灌頂般的冷香之中。比起古人詠梅之作，姜夔之詞並不遜色，其高情逸趣反倒更加令人神往。

三九

白石寫景之作，如「二十四橋仍在，波心蕩、冷月無聲」①「數峰清苦，商略黄昏雨」②「高樹晚蟬，説西風消息」③，雖格韻高絶，然如霧裏看花，終隔一層。梅溪、夢窗諸家寫景之病，皆在一「隔」字。北宋風流，渡江遂絶，抑真有運會存乎其間耶？

注釋 ①姜夔《揚州慢》：（淳熙丙申至日，予過維揚。夜雪初霽，薺麥彌望。入其城則四顧蕭條，寒水自碧，暮色漸起，戍角悲吟。予懷愴然，感慨今昔。因自度此曲。千巖老人以爲有《黍離》之悲也。）淮左名都，竹西佳處，解鞍少駐初程。過春風十里，盡薺麥青青。自胡馬窺江去後，廢池喬木，猶厭言兵。漸黄昏，清角吹寒，都在空城。 杜郎俊賞，算而今、重到須驚。縱豆蔻詞工，青樓夢好，難賦深情。二十四橋仍在，波心蕩、冷月無聲。念橋邊紅藥，年年知爲誰生？②姜夔《點絳唇》：（丁未冬過吴松作）燕雁無心，太湖西畔隨雲去。數峰清苦，商略黄昏雨。第四橋邊，擬共天隨住。今何許？憑闌懷古，殘柳參差舞。③姜夔《惜紅衣》：（吴興號水晶宫，荷花盛麗。陳簡齋云：「今年何以報君恩。一路荷花相送到青墩。」亦可見矣。丁未之夏，予游千巖，數往來紅香中，自度此曲，以無射宫歌之。）簟枕邀涼，琴書換日，睡餘無力。細灑冰泉，並刀破甘碧。墻頭唤酒，誰問訊、城南詩客。岑寂。高樹晚蟬，説西風消息。 虹梁水陌，魚浪吹香，紅衣半狼藉。維舟試望故國，眇天北。可惜渚邊沙外，不共美人游歷。問甚時同賦，三十六陂秋色？

今譯 姜夔的寫景之作，如「二十四橋仍在，波心蕩、冷月無聲」「數峰清苦，商略黄昏雨」「高樹晚蟬，説西風消息」，雖然格韻高絶，然而如同霧裏看花，終究隔了一層。史達祖、吴文英等人寫景之作的缺點，都在一個「隔」字。北宋風流，到了南宋就已經看不到了，難道真有所謂的風雲際會嗎？

評點·賞析

這則文論涉及對姜夔及南宋諸家寫景詠物的詞評，由于王國維先生對南宋諸家詞人的「隔」之病持強烈的否定態度，因而這一觀點引起了學術界的巨大爭論。

早在二十世紀四十年代，唐圭璋先生就提出了不同意見，認爲「白石天籟人力，兩臻絕頂，所寫景物，往往遺貌取神，體會入微。而王氏以隔少之，殊爲皮相。『二十四橋仍在，波心蕩，冷月無聲』，極寫揚州亂後凄涼境界，令人感傷，何嘗有隔？『數峰清苦，商略黄昏雨』則寫雲山幽境，萬籟俱寂境界。『清苦』『商略』皆從形容山容雲意體會出來，極細極妙，亦不能謂之隔」。對于王國維先生所說的「隔霧看花之恨」，夏中義先生認爲「白石的景物造型確實朦朧，但這朦朧不是因爲意氣不足而是施放的人工煙幕，實在是有難言之衷但又不能不吐，于是就曲折而晦遠」，他甚至認爲「王氏讀白石如『霧裏看花』看不清，那是他眼力不夠，視野不寬，故無法領略白石詞之朦朧美」。贊同王國維先生的學者多從姜夔的生平經歷出發，認爲「白石有狷介之操，而乏高遠之志，『一襟詩思』有餘，而『憂生之嗟』與家國之痛畢竟微嫌不足，靜安稱其『氣體雅健』在此，而『局促』『情淺』亦未嘗不在此」。

關于「隔」與「不隔」的問題，我們將在下面展開論述，而關于姜夔，許多學者認爲他的詞問題不在「隔」而在于「晦」，這種觀點值得參考，而且這種「晦」也是有原因的：南宋建都杭州後，一方面殺害抗金名將岳飛，稱臣求和，另一方面卻製造出一片「歌舞昇平」的「中興」假象，在這樣的背景下，姜夔及其以後的諸多詞人雖然也有偏安一隅的苦悶，不願隨波逐流，但是其人格方面的軟弱性導致了他們不可能衝冠一怒，而衹能寄情詩詞，這種「晦」便是這種矛盾心態的體現。

四十

問「隔」與「不隔」之別，曰：陶、謝①之詩不隔，延年②則稍隔矣。東坡之詩不隔，山谷③則稍隔矣。「池塘生春草」④「空梁落燕泥」⑤等二句，妙處唯在不隔。詞亦如是。即以一人一詞論，如歐陽公《少年遊》⑥詠春草上半闋云：「闌干十二獨凭春，晴碧遠連雲。二月三月，千里萬里，行色苦愁人。」語語都在目前，便是不隔。至云『謝家池上，江淹浦畔』則隔矣。白石《翠樓吟》⑦「此地。宜有詞僊，擁素雲黃鶴，與君游戲。玉梯凝望久，嘆芳草、萋萋千里」便是不隔；至「酒祓清愁，花消英氣」則隔矣。然南宋詞雖不隔處，比之前人，自有深淺厚薄之別。

注釋

①謝：謝靈運（三八五—四三三），陳郡陽夏（今河南太康）人，東晉名將謝玄之孫，因襲封康樂公，故世稱謝康樂，南朝宋詩人。②延年：顏延之（三八四—四五六），字延年，琅琊（今山東臨沂）人，南朝宋詩人，與謝靈運齊名，並稱爲「顏謝」。③山谷：黄庭堅，因號山谷道人，故如此稱之。④謝靈運《登池上樓》：潛虬媚幽姿，飛鴻響遠音。薄霄愧雲浮，棲川怍淵沈。進德智所拙，退耕力不任。徇祿反窮海，卧痾對空林。衾枕昧節候，褰開暫窺臨。傾耳聆波瀾，舉目眺嶇嶔。初景革緒風，新陽改故陰。池塘生春草，園柳變鳴禽。祁祁傷豳歌，萋萋感楚吟。索居易永久，離群難處心。持操豈獨古，無悶征在今。⑤薛道衡《昔昔鹽》：垂柳覆金堤，蘼蕪葉復齊。水溢芙蓉沼，花飛桃李蹊。采桑秦氏女，織錦竇家妻。關山別蕩子，風月守空閨。恒斂千金笑，長垂雙玉啼。盤龍隨鏡隱，彩鳳逐帷低。飛魂同夜鵲，倦寢憶晨雞。暗牖懸蛛網，空梁落燕泥。前年過代北，今歲往遼西。一去無消息，那能惜馬蹄。⑥歐陽修《少年遊》，見文論第二十三條注。⑦姜夔《翠樓吟》：（淳熙丙午冬，武昌安遠樓成，與劉去非諸友落之，度曲見志。予去武昌十年，故人有泊舟鸚鵡洲者，聞小姬歌此詞。問之，頗能道其事。還吳，爲予言之。興懷昔游，且傷今之離索也。）月冷龍沙，塵清虎落，今年漢酺初賜。新翻胡部曲，聽氈幕、元戎歌吹。層樓高峙。看檻曲縈紅，檐牙飛翠。人姝麗，粉香吹下，夜寒風細。　此地。宜有詞僊，擁素雲黃鶴，與君游戲。玉梯凝望久，嘆芳草、萋萋千里。天涯情味。仗酒祓清愁，花銷英氣。西山外，晚來還卷，一簾秋霽。

【今譯】要問「隔」與「不隔」的區別，可以這樣說：陶淵明、謝靈運的詩不隔，顏延之的就稍微有些隔。蘇軾的詩不隔，黃庭堅的詩就稍微有些隔。「池塘生春草」「空梁落燕泥」等句，妙處就在不隔。詞也是這樣。就以同一個人的同一首詞來說，如歐陽修《少年遊》詠春草上半闋：「闌干十二獨憑春，晴碧遠連雲。二月三月，千里萬里，行色苦愁人。」每句話都仿佛就在目前，便是不隔。等說到「謝家池上，江淹浦畔」就隔了。姜夔《翠樓吟》「此地。宜有詞僊，擁素雲黃鶴，與君游戲。玉梯凝望久，嘆芳草、萋萋千里」便是不隔；到「酒祓清愁，花消英氣」就隔了。然而，即使南宋詞不隔處，比之前人，也有深淺厚薄之別。

【評點·賞析】所謂「不隔」，可以認爲是詩人用描述語建構意象，景物宛然目前，情韻自然浮現，一切仿佛天成；詩人若用修飾語，令人費一層思量，便是「隔」了，如文論中的例子「池塘生春草，園柳變鳴禽」，短短兩句就把作者所要傳達的春天的氣息都寫出來了，讓我們感覺春水春草、鶯歌燕舞如在眼前；「謝家池上，江淹浦畔」也是寫春草的，其中化用了謝靈

運的「池塘生春草」和江淹的名篇《別賦》中的「春草碧色，春水綠波，送君南浦，傷如之何」，沒有相當文學功底的人是無法領略其含義的，故而稱之爲「隔」，這裏其實暗合了前面文論中的詞忌用替代字的說法。

還有另一種形式的「隔」是在前面論述姜夔的時候提出的，認爲其詞「有隔霧看花之恨」，這裏其實是要分開討論的，如果霧氣籠罩彌漫而不能看到花當然是不好的，這種情況可以稱爲「隔」，而如果花前籠罩了一層薄薄的輕霧，則花就憑添了種別樣的情致，因而這種「朦朧之隔」並不一定是壞事。

關于「隔」的問題還有不少學者提出疑問，如黃志民在《〈人間詞話〉「境界」一詞含義之探討》中認爲：「王氏『不隔』的說法，重在表現技巧上所能達到的效果，然而即使有再佳的技巧，作品內容是有其時間、空間之條件的，其產生如此，其感人的效果亦復如此，在某一時空條件之下，被認爲具有不隔效果的作品，是否能被另外一個時空裏的人們所領會感動，恐怕不是一個很容易回答的問題；一種基于個人私欲與他人願望無關的

生年不滿百常懷千歲憂語出古詩十九首勸誡爲人要有達觀的生活態度

作品，縱使在技巧上不隔，能否引起他人的共鳴，也是一個值得思考的問題，是故不隔的說法，似乎應進一步就作品的精神內涵去考慮，而不應僅就其技巧上的不隔。」

而對于這些疑問，錢鍾書先生在《論不隔》中給出了很好的回答：好的文藝作品，按照「不隔」說，我們讀著須像我們身所經目所擊著一樣，我們在此地衹注重身經目擊，至于身所經目所擊的性質如何，跟「不隔」無關，此點萬不可忽視，否則必引起誤解。譬如，有人說「不隔」說衹能解釋顯的、一望而知的文藝，不能解釋隱的，鈎深致遠的文藝，這便是誤會了「不隔」。「不隔」不是一樁事物，不是一個境界，而是一種狀態，一種透明洞徹的狀態——「純潔的空明」，譬之于光天化日；在這種狀態之中，作者所寫的事物和境界得以無以遮隱的暴露在讀者的眼前，作者藝術的高下，全看他有無本領來撥雲霧而見青天，造就這個狀態。

四一

「生年不滿百，常懷千歲憂。晝短苦夜長，何不秉燭遊？」① 「服食求神僊，多爲藥所誤。不如飲美酒，被服紈與素。」② 寫情如此，方爲不隔。「采菊東籬下，悠然見南山。山氣日夕佳，飛鳥相與還。」③ 「天似穹廬，籠蓋四野。天蒼蒼，野茫茫，風吹草低見牛羊。」④ 寫景如此，方爲不隔。

注釋

①《古詩十九首》第十五：生年不滿百，常懷千歲憂。晝短苦夜長，何不秉燭游，爲樂當及時，何能待來茲。愚者愛惜費，但爲後世嗤。僊人王子喬，難可與等期。②《古詩十九首》第十三：驅車上東門，遥望郭北墓。白楊何蕭蕭，松柏夾廣路。下有陳死人，杳杳即長暮。潛寐黄泉下，千載永不寤。浩浩陰陽移，年命如朝露。人生忽如寄，壽無金石固。萬歲更相送，聖賢莫能度。服食求神僊，多爲藥所誤。不如飲美酒，被服紈與素。③陶潛《飲酒》之五，見文論第三條注。④《敕勒歌》：敕勒川，陰川下。天似穹廬，籠蓋四野。天蒼蒼，野茫茫，風吹草低見牛羊。

今譯

「生年不滿百，常懷千歲憂。晝短苦夜長，何不秉燭游？」「服食求神僊，多爲藥所誤。不如飲美酒，被服紈與素。」寫情如此，方爲不隔。「采菊東籬下，悠然見南山。山氣日夕佳，飛鳥相與還。」「天似穹廬，籠蓋四野。天蒼蒼，野茫茫，風吹草低見牛羊。」寫景如此，方爲不隔。

評點·賞析 結合前面文論中說過的「境非獨謂景物也，喜怒哀樂，亦人心中之一境界。故能寫真景物、真感情者，謂之有境界，否則謂之無境界」（文論第六條），我們可以認爲，能寫真感情者，謂之有境界，亦即不隔。

四二

古今詞人格調之高，無如白石。惜不於意境上用力，故覺無言外之味，弦外之響，終不能與於第一流之作者也。

今譯 古今詞人的格調都不如姜夔高。可惜他不在意境上下工夫，所以他的詞作缺少一種言外之味，弦外之音，終究不能進入第一流作者的行列。

評點·賞析 葉嘉瑩先生在《王國維及其文學批評》中認爲：「格調」乃是指品格之高下而言的，但品格之高下又有兩種不同，一種是本質的過人，在情意感受方面不同于流俗，這也就是《人間詞話》開端所說的「有境界則自成高格」的表現；另一種則是文字高雅不同于流俗，這也就是白石詞被稱爲格調高的緣故。不過文字之高雅畢竟不同于境界之真摯，此所以靜安先生雖然也贊美白石之格調高，而卻同時又特加指出「惜不于意境上用力」之故。

前面我們多次提到了姜夔詞的朦朧和晦澀，對于後者，顯然需要我們經歷一番考究才能弄清楚作者到底在說什麼，本來是讀後的「賞」的過程變成了「考」的過程，而考證後的結果往往是失去了「賞」的心情，這就有點霧氣太重的意味了，也是說他的詞無言外之味、弦外之音的原因之一。

四三

南宋詞人，白石有格而無情，劍南①有氣而乏韻。其堪與北宋人頡頏者，唯一幼安②耳。近人祖南宋而祧北宋，以南宋之詞可學，北宋不可學也。學南宋者，不祖白石，則祖夢窗③，以白石、夢窗可學，幼安不可學也。學幼安者率祖其粗獷、滑稽，以其粗獷、滑稽處可學，佳處不可學也。幼安之佳處，在有性情，有境界。即以氣象論亦

陸游

陸游（一一二五—一二一〇），字務觀，號放翁，南宋詩人。楊慎認爲，他的詞纖麗處似秦觀，雄慨處似蘇軾。

有「橫素波，干青雲」④之概，寧後世齷齪小生所可擬耶？

注釋

①劍南：陸游（一一二五—一二一〇），字務觀，號放翁，越州山陰（今浙江紹興）人。陸游二十九歲參加進士考試，因名列秦檜的孫子之前而受到秦檜的忌恨，復試時被黜落，直到秦檜死後才得入仕。陸游一生堅持著抗金復國的理想，屢受排擠和打擊，中年入蜀擔任軍中職務，晚歲罷官閑居家鄉。陸游流傳下來的詩作有九千四百餘首，詞作一百三十餘首，其作品既有飄逸奔放的特點，又有沈鬱悲涼的風格，在詩壇上是南宋中興四大詩人之首，在詞壇上是辛派豪放詞的中堅，對南宋乃至清末的文壇有著巨大而積極的影響。②幼安：辛棄疾。③夢窗：吴文英（約一二〇七—約一二六九），字君特，號夢窗，又號覺翁，四明鄞縣（今浙江寧波）人，南宋詞人。④見于蕭統《陶淵明集序》云：「橫素波而傍流，干青雲而直上。」

今譯

南宋詞人之中，姜夔的詞有格調而無情趣，陸游的詞有氣勢而少韻味。其中能與北宋人相抗衡者，衹有辛棄疾一人而已。近人師法南宋的詞而疏遠北宋的詞，因爲南宋的詞容易學而北宋的詞不容易學。學習南宋詞的人，不是師法姜夔就是師法吳文英，因爲姜夔、吳文英容易學而辛棄疾則不容易學。師法辛棄疾的人，大都學習他的粗獷、滑稽，因爲他粗獷、滑稽的地方容易學而超越別人的妙處不容易學。辛棄疾的詞的長處在于有性情，有境界。就是衹以氣象而論，也有「橫素波而傍流，干青雲而直上」的氣概，這難道是後世品格低下的齷齪小子們所能比擬的嗎？

評點·賞析 詩詞的發展有其規律，這在後面有專門的論述。就宋詞而言，五代、北宋時期的詞出語清新自然，有「清水出芙蓉」的氣象，而南宋的詞相比而言則更多地在雕琢刻畫上下工夫，以工巧見長。這種趨勢在北宋末期已經出現，這也是詩詞的進化規律，即由質樸本真向工巧遞進，而且總體而言，這個過程是不可逆的。其實這也就是爲什麼清代的詞人喜歡師法南宋的原因。當然其中也有特例，就是後面提到的納蘭性德，這裏暫不討論。總之，詞從南宋以後工巧的趨勢是一脈相承的，這也是他們喜歡祖之的原因。至于辛棄疾，可以參考下面的第四十四條文論。

四四

東坡之詞曠，稼軒之詞豪。無二人之胸襟而學其詞，猶東施之效捧心①也。

注釋 ①此處意即東施效顰。

今譯 蘇軾的詞曠達，辛棄疾的詞豪爽。如果沒有二人的胸襟而學其詞，衹能是東施效顰。

評點·賞析 「東坡之詞曠，稼軒之詞豪」是王國維先生對于二者詞風的概括，同時又可以用以指他們的性格特徵。

蘇軾的性格與李白相似，政治上的失意以及與下層百姓的深層接觸，讓他對社會現實有了更深刻的認識，當這與他曠達的性格以及卓越的文學天賦相結合的時候，一篇篇深邃廓大而又清雄淡遠的詞作就展現在我們面前了。

辛棄疾懷一腔報國之熱血，胸中又有文韜武略，他以收拾舊山河爲平生之志。但是南宋渡江後，權奸當道，賣國偷安，還要製造出一片歌舞昇平的中興假象。在此背景下辛棄疾就顯得很不合時宜，滿腔的忠憤之氣無以揮發，衹好寄情詩詞，慷慨悲歌。我們從耳熟能詳的「了卻君王天下事，贏得生前身後名，可憐白髮生」就能感受到那種豪放和無可奈何的悲涼，這樣的胸襟也不是一般人能學到的。

四五

讀東坡、稼軒詞，須觀其雅量高致，有伯夷、柳下惠之風①。白石雖似蟬蛻塵埃，然終不免局促轅下。

注釋　①伯夷：殷孤竹君之子，殷亡後因不食周粟而死。柳下惠：春秋時魯國人，有坐懷不亂之高行。二人被認爲是具有高風亮節的聖人。

今譯　讀蘇軾、辛棄疾的詞，必須看到他們廣闊的胸襟和高遠的情致，有伯夷、柳下惠的風度。姜夔雖然貌似超凡脫俗，然而終究還是左顧右盼、局促不安。

評點·賞析　由于王國維先生所處的時代背景而使得他在論詞時，並不單以詞爲依據，而是以文品與人品相統一作爲標準，他曾經說過「無高尚偉大之人格，而有高尚偉大之文學者，殆未之有也」，這一說法和文中的「雅量高致」是一脈相承的，他說讀東坡與稼軒詞時能感受到古代先賢的高風亮節，其實就是從作品中看到作者高尚的人格，相比較而言，姜夔的人格就不是那麼令先生可喜了。

四六

蘇、辛詞中之狂。白石尤不失爲狷。若夢窗、梅溪、玉田、草窗、西麓輩，面目不同，同歸於鄉願而已①。

注釋　①狂、狷、鄉願：《論語·子路》中說：「子曰：『不得中行而與之，必也狂狷乎？狂者進取，狷者有所不爲也。』」《論語·陽貨》：「子曰：『鄉原，德之賊也。』」狂者是激進的、富于進取精神的人；狷者是雖能獨善其身但缺乏進取精神的人；鄉願，指貌似忠厚，實與惡俗同流合污的人。《孟子·盡心下》：

「萬章曰：『一鄉皆稱原人焉，無所往而不爲原人。孔子以爲德之賊，何哉？』曰：『非之無舉也，刺之無刺也，同乎流俗，合乎污世，居之似忠信，行之似廉潔，衆皆悦之，自以爲是，而不可入堯舜之道，故曰德之賊也。孔子曰：……惡鄉原，恐其亂德也。』」鄉原、鄉願通。徐幹《中論·考僞》：「鄉願亦無殺人之罪也，而仲尼惡之，何也？以其亂德也。」

今譯 蘇軾和辛棄疾是詞中之狂。姜夔是詞中之狷。而像吳文英、史達祖、張炎、周密、陳允平這些詞人，雖然表現形式不同，但都衹是鄉願而已。

評點·賞析 前面説過，王國維先生評價詞作的標準之一是人品與詞品的統一。對于蘇辛之詞，在「曠」「豪」之外，又爲其加一「狂」。從注釋中我們知道，「狂」在這裏不是貶義詞，而是指有膽有識，有才有氣。大抵歷史上的文豪都有狂的一面，如李白自況「我本楚狂人，鳳歌笑孔丘」，杜甫自謂「欲填溝壑唯疏放，自笑狂夫更老狂」。蘇軾和辛棄疾也有以狂自況的詞，如蘇軾曾經「嗟我本狂直」，辛棄疾也感嘆「恨古人不見吾狂」。

姜夔幾乎是文論中提到的最多的人，對其評價也在學術界引發了巨大的爭議，這一點前面已經數次説過，這次以「狷」謂之可以爲大多數學者所接受，狷者守節無爲，結合姜夔的時代背景和他的個人生活經歷：一生寄人籬下卻拒絶搖尾乞憐，對現實心懷不滿而無以解脱，遂以音律詩詞作爲人生的寄託來逃避現實，從這裏的確可以看到狷者的影子。

被稱爲鄉願的南宋諸家詞人，歷來就有很大的爭議，從歷史上流傳下來的關于他們的史料記載也是褒貶不一，莫衷一是。按照上面的詞作的評價標準以及對諸家詞作的雕琢工巧的排斥，王國維先生把他們一並視爲鄉願，嚴格來説這是有失公允的。

四七

稼軒中秋飲酒達旦，用《天問》①體作《木蘭花慢》以送月，曰：「可憐今夕月，向何處、去悠悠？是别有人間，那邊才見，光景東頭。」②詞人想象，直悟月輪繞地之理，與科學家密合，可謂神悟。

注釋 ①《天問》：屈原所作，其中提出了一百七十二個問題，列舉出歷史和自然界中一系列難以理解的現象，對天發問，探討宇宙萬事萬物變化發展的道理。全詩參差錯落，奇崛生動，保存了大量珍貴的史料。②辛棄疾《木蘭花慢》：（中秋飲酒將旦，客謂前人詩詞，有賦待月，無送月者。因用《天問》體賦。）可憐今夕月，向何處、去悠悠？是別有人間，那邊才見，光景東頭？是天外空汗漫，但長風、浩浩送中秋。飛鏡無根誰繫？姮娥不嫁誰留？謂經海底問無由。恍惚使人愁。怕萬里長鯨，縱橫觸破，玉殿瓊樓。蝦蟆故堪浴水，問云何、玉兔解沈浮？若道都齊無恙，云何漸漸如鈎？」

今譯 辛棄疾《木蘭花慢》（中秋飲酒達旦）詞用《天問》的體裁形式來表達送月的內容，其詞云：「可憐今夕月，向何處、去悠悠？是別有人間，那邊才見，光景東頭。」詞人的想象正與月亮繞地球公轉的科學事實相符合，可謂神悟。

評點·賞析 這九個問題分別如下，讀者可以試著回答一下：

第一問：中秋之月團圓皎潔惹人喜愛，月亮悠悠西行，將去向何處？

第二問：難道是地球的那一邊還有人間，月亮從這邊西落又從那邊東昇？

第三問：天空浩渺無垠，月亮是不是憑藉著浩浩的秋風的吹送而運行？

第四問：月亮沒有根，那麼是什麼將它繫在那裏的？

第五問：月亮中的嫦娥千年不嫁，是誰將她留在那裏的？

第六問：月亮往西經海底重返東方，這究竟是真是假？

第七問：如果月亮真的要經過海底，那麼它爲什麼沒被縱橫衝撞的巨鯨撞壞？

第八問：月中的蟾蜍當然會水，那月中的玉兔又怎麼能自由地在水中沈浮呢？

第九問：如果月中的一切經過海底時都安然無恙，那爲什麼一輪圓月又逐漸變成新月？

四八

周介存謂：「梅溪詞中，喜用『偷』字，足以定其品格。」劉融齋謂：「周旨蕩而史意貪。」①此二語令人解頤。

注釋

①語出劉熙載的《藝概·詞曲概》：周美成詞，或稱其無美不備。余謂論詞莫先于品，美成詞富艷精工，祇是當不得一個「貞」字，是以士大夫不肯學之，學之則不知終日意縈何處矣……周美成律最精審，史邦卿句最警煉，然未得爲君子之詞者，周旨蕩而史意貪也。

今譯

周濟說：「史達祖的詞中，喜歡用『偷』字，這足以定其品格。」劉熙載說：「周旨蕩而史意貪。」這兩句話令人會心而笑。

評點·賞析

史達祖詞中用「偷」字確實相當之多，聊舉幾例：《綺羅香·詠春雪》中有「做冷欺花，將煙困柳，千里偷催春暮」；《東風第一枝·春雪》中有「巧沁蘭心，偷沾草甲，東風欲障新暖」；《三姝媚》中有「諱道相思，偷理綃裙，自驚腰衩」；《夜合花》中有「輕衫未攬，猶將淚點偷藏」；《祝英臺近》中有「正凝佇，芳意期月矜春，渾欲偷去」；《齊天樂·湖上即席分韻得羽字》中有「闌幹斜照未滿，杏牆應望斷，春翠偷聚」；《玲瓏四犯》中有「更暗塵，偷鎖鸞影，心事屢休團扇」等等。

如果單看每篇詞中的「偷」字的使用，我們會發現其實都有其妙處，或者把物寫活，或者精細入微地刻畫出詞中人的動作神態所思所想，但是當這個字出現頻率很高的時候，讀者就會產生出類似的聯想。更何況在歷史上，史達祖的人品沒有什麼口碑，權臣韓侂胄當國時，史達祖爲堂吏，頗擅權。一時士大夫無廉恥者皆奔走其門下，後韓侂胄北伐失敗後被殺，史達祖也因此而受黥刑並被貶謫流放，不知所終。故而「史意貪」的說法實際是在譏諷他貪圖一時之榮華而投身權貴，缺乏貧賤不移的節操。

周邦彥的詞富麗精工，又多作艷語，如《風流子》：「最苦夢魂，今宵不到伊行。問甚時說與佳音密耗，寄將秦鏡，偷換韓香。天便要人，霎時廝見何妨？」又如《少年遊》：「低聲問：向誰行宿？城上已三更。馬滑霜濃，不如休去，直是少人行。」再如《青玉案》：「玉體偎人情何厚，輕惜輕憐轉唧嚠。雨收雲散眉兒皺。」如此狎昵，難怪劉熙載謂之「蕩」也。不僅如此，他在政治上的操守也值得懷疑，如他曾經寫詩諂媚當時的權臣蔡京：「化行禹貢山川內，人在周公禮樂中。」

前面說過人品與詞品相一致的判斷標準，蘇軾、辛棄疾的人品高，詞品亦高，那麼是不是史達祖、周邦彥的人品低下詞品也低下呢？王國維先生沒有明確地告訴我們，但是從他評價周邦彥的「故不失為第一流之作者」和對史達祖的《雙雙燕》的高度評價來看似乎並不完全是這樣，其實這也從另一方面表現了王國維先生的治學之嚴謹，值得學習借鑒。

四九

介存謂：夢窗詞之佳者，如「水光雲影，搖蕩綠波，撫玩無極，追尋已遠。」[①]余覽《夢窗甲乙丙丁稿》中，實無足當此者。有之，其「隔江人在雨聲中，晚風菰葉生愁怨」[②]二語乎？

注釋 ①語出周濟《介存齋論詞雜著》：夢窗非無生澀處，總勝空滑，況其佳者，水光雲影，搖蕩綠波，撫玩無斁，追尋已遠。

②吳文英《踏莎行》：潤玉籠綃，檀櫻倚扇。繡圈猶帶脂香淺。榴心空疊舞裙紅，艾枝應壓愁鬟亂。午夢千山，窗陰一箭。香瘢新褪紅絲腕。隔江人在雨聲中，晚風菰葉生愁怨。

今譯 周濟說：吳文英詞中的佳句，如同「水光雲影，搖蕩綠波，撫玩無極，追尋已遠」。我翻閱吳文英的《夢窗甲乙丙丁稿》，其中實在沒有與之相稱的佳句。如果勉強算有的話，也許祇有「隔江人在雨聲中，晚風菰葉生愁怨」這兩句吧。

評點·賞析 這首《踏莎行》，上篇香艷柔膩，不從正面著筆，佳人卻宛然眉睫之間；下片筆鋒直轉，繁華褪盡，一片蕭瑟落寞，多少事欲語還休，幽情綿綿，餘音繞梁。整首詞雖然造語濃麗，但是卻更加凸顯了滄海桑田的人生感悟，難怪連不喜歡吳文英的王國維也不得不稱賞此詞。

五十

夢窗之詞，吾得取其詞中一語以評之，曰：「映夢窗，凌亂

玉老田荒語出張炎祝英臺近與周草窗話舊表達懷才不遇之感

碧。」①玉田②之詞，亦得取其詞中之一語以評之，曰：「玉老田荒。」③

注釋 ①吴文英《秋思》：（荷塘爲括蒼名姝求賦其聽雨小閣）堆枕香鬟側。驟夜聲、偏稱畫屏秋色。風碎串珠，潤侵歌板，愁壓眉窄。動羅箑清商，寸心低訴叙怨抑。映夢窗，零亂碧。待漲緑春深，落花香汎，料有斷紅流處，暗題相憶。 歡酌。檐花細滴。送故人，粉黛重飾。漏侵瓊瑟，丁東敲斷，弄晴月白。怕一曲、霓裳未終，催去驂鳳翼。嘆謝客、猶未識。漫瘦卻東陽，燈前無夢到得。路隔重雲雁北。②玉田：張炎（一二四八—約一三二一），字叔夏，號玉田，又號樂笑翁。先世鳳翔府成紀（今甘肅天水）人，寓居臨安（今浙江杭州）。宋亡時，祖父被元兵殺害，家財被抄没。晚年窮困潦倒，曾在鄞地（今浙江寧波）擺設卜肆。張炎的詞集名《山中白雲詞》，其詞風清雅疏朗，與白石相近，故與姜夔並稱爲「雙白」。入元以後，其詞作凄涼怨艾，其中最著名的一首《解連環·孤雁》爲他贏得了「張孤雁」的稱號。張炎的詞作及其關于詞的理論著作對後世影響甚大。③張炎《祝英臺近·與周草窗話舊》：水痕深，花信足，寂寞漢南樹。轉首青陰，芳事頓如許。不知多少消魂，夜來風雨。猶夢到、斷紅流處。 最無據。長年息影空山。愁入庾郎句。玉老田荒，心事已遲暮。幾回聽得啼鵑，不如歸去。終不似、舊時鸚鵡。

今譯 吴文英的詞，我可以選取他自己詞中的一語進行評價，就是「映夢窗，零亂碧」。張炎的詞，我同樣可以選取他自己詞中的一句話進行評價，那就是「玉老田荒」。

評點·賞析 王國維先生在其《人間詞甲稿序》中說道：「于南宋除稼軒白石外，所嗜蓋鮮，尤痛詆夢窗、玉田，謂夢窗砌字，玉田壘句，一雕琢，一敷衍，其病不同，而同歸于淺薄，六百年來，詞之不振，實自此始，其持論如此。」也就是說，吴文英和張炎是導致詞的創作衰微的罪人。這一觀點和多數詞論家的觀點是相左的，就吴文英而言，他是一位獨特的江湖游士，雖然以布衣終老，卻長期充當一些權貴的門客與幕僚；雖然曳裾侯門，但衹爲衣食生計，始終保持著清高獨立的人格。吳文英把一生的心力都傾注于詞的創作上，他的詞字面華麗、意象密集、含義曲折。他擁有超長的想象力，往往通過打破時空的正常次序，錯綜疊映真實和虛幻的不同情景等手段，使詞的意境撲朔迷離、詭異迷幻。他的詞似乎不受理性和邏輯的約束，這種類似于現代意識流的表現手段使得吳文英的作品很難被古人所理解。宋代的張炎就指斥他的詞說：「如七寶樓臺，眩人耳目，拆碎下來，不成片段。」倒是清人的眼光比較準確，《四庫提要》中說：「詞家之有文英，亦如詩家之有李商隱。」對于吳文英的作品，顯然需要我們做出新的解讀。而張炎的詞中備寫身世盛衰之感，悲涼凄楚，感傷之情濃重，因而這樣的評價確實有失公允。

五一

「明月照積雪」「大江流日夜」「中天懸明月」「黃河落日圓」，此種境界，可謂千古壯觀。求之於詞，唯納蘭容若塞上之作，如《長相思》之「夜深千帳燈」，《如夢令》之「萬帳穹廬人醉，星影搖搖欲墜」差近之。

今譯　「明月照積雪」「大江流日夜」「中天懸明月」「黃河落日圓」，這些詩句中的境界，可以說是千古壯觀。要從詞中尋找這樣的境界，衹有納蘭容若塞上之作，如《長相思》之「夜深千帳燈」，《如夢令》之「萬帳穹廬人醉，星影搖搖欲墜」差不多接近。

評點·賞析　這幾首詩都是邊塞詩，或描寫空間上荒遠遼闊的境界，或抒寫時間上邈遠深邃的境界，或寫邊塞之月的孤寂和森嚴，或寫廣漠落日的親切與蒼涼，

魏晉風度、唐詩氣骨在這裏表露無遺，而諸位詞作家除了因范仲淹等少數幾位詞人有邊塞生活的經歷因而創作了一些邊塞詞外，其他作家都因缺少生活經歷而沒有創作出能夠傳世的邊塞詞作品，直到文論中提到的納蘭性德，才有了描繪塞外風光的詞作。《長相思》以「山一程，水一程」「風一更，雪一更」寫向關外進發的艱辛歷程，抒發了離鄉的愁緒；《如夢令》

描繪的是白狼河外的宿營景象：空曠的塞外草原，地上有萬帳穹廬，天上是無數的星星，凜冽的寒風和奔騰的河水使人難以入睡，讓人感到一種雖處萬人中卻仍有難以排遣的孤獨。但是總體而言，在氣象上納蘭容若的詞和上面的幾首詩相比還是差了不少。

五二

納蘭容若以自然之眼觀物，以自然之舌言情。此由初入中原，未染漢人風氣，故能真切如此。北宋以來，一人而已。

今譯　納蘭性德用自然的眼睛來觀察事物，用自然的口吻來抒寫感情。這是因為他初入中原，還沒有沾染漢人的風氣，所以才能如此真切。北宋以來，這樣的詞人衹有他一個人而已。

評點·賞析　關於納蘭性德，我們衹要詳細地了解一下其生平，就能對其有一個比較正確的把握：

納蘭性德于順治十一年十二月十二日（公元一六五五年一月十九日）生于北京，其父是康熙時期權傾朝野的宰相明珠，母親覺羅氏為英親王阿

濟格第五女，一品誥命夫人。而其家族——納蘭氏，隸屬正黃旗，為清初滿族最顯赫的八大姓之一，即後世所稱的「葉赫那拉氏」。納蘭性德的曾祖父名金臺什，為葉赫部貝勒，其妹孟古，于明萬歷十六年嫁努爾哈赤為妃，生皇子皇太極。其後納蘭家族與皇室的姻戚關係也非常緊密。因而可以說，納蘭性德一出生就被命運安排到了一個天皇貴胄的家庭裏，他的一生注定是富貴榮華，繁花著錦的。然而，也許是造化弄人，納蘭性德偏偏是「雖履盛處豐，抑然不自多。于世無所芬華，若戚戚于富貴而以貧賤為可安者。身在高門廣廈，常有山澤魚鳥之思」。

納蘭性德因生于臘月，小時稱冬郎，自幼天資聰穎，讀書過目不忘，數歲時即習騎射，十七歲入太學讀書，為國子監祭酒徐文元賞識，推薦給其兄內閣學士，禮部侍郎徐乾學。納蘭性德十八歲參加順天府鄉試，考中舉人，十九歲準備參加會試，但因病沒能參加殿試。爾後數年中他更發奮研讀，並拜徐乾學為師。在名師的指導下，他在兩年中，主持編纂了一部一七九二卷的儒學彙編——《通志堂經解》，受到皇上的賞識，也為今後發

展打下了基礎。他又把搜讀經史過程中的見聞和學友傳述記錄整理成文，用三四年時間，編成四卷集《淥水亭雜識》，其中包含歷史、地理、天文、曆算、佛學、音樂、文學、考證等方面知識。表現出他相當廣博的學識基礎和各方面的意趣愛好。

納蘭性德二十二歲時，再次參加進士考試，以優異成績考中二甲第七名。康熙皇帝授他三等侍衛的官職，以後昇爲二等，再昇爲一等。作爲皇帝身邊的御前侍衛，以英俊威武的武官身份參與風流斯文的詩文之事。隨皇帝南巡北狩，游歷四方，奉命參與重要的戰略偵察，隨皇上唱和詩詞，譯製著述，因稱聖意，多次受到恩賞，是人們羨慕的文武兼備的年少英才，帝王器重的隨身近臣，前途無量的達官顯貴。

但作爲詩文藝術的奇才，他在內心深處厭倦官場庸俗和侍從生活，無心功名利祿。雖「身在高門廣廈，常有山澤魚鳥之思」。他詩文均很出色，尤以詞作傑出，著稱于世。二十四歲時，他把自己的詞作編選成集，名爲《側帽集》，後更名爲《飲水詞》，再後有人將兩部詞集增遺補缺，共三四二首，編輯一處，名爲《納蘭詞》。傳世的《納蘭詞》在當時社會上就享有盛譽，爲文人、學士等高度評價，成爲那個時代詞壇的傑出代表。

在交友上，納蘭性德最突出的特點是其所交「皆一時俊異，于世所稱落落難合者」，這些不肯悅俗之人，多爲江南漢族布衣文人，如顧貞觀、嚴繩孫、朱彝尊、陳維崧、姜宸英等等。納蘭性德對朋友極爲真誠，不僅仗義疏財，而且敬重他們的品格和才華，就像平原君食客三千一樣，當時許多的名士才子都圍繞在他身邊，使得其住所淥水亭（現宋慶齡故居內恩波亭）因文人騷客雅聚而著名，客觀上也促進了康乾盛世的文化繁榮。究其原因，納蘭性德在一定程度上可以和漢族知識分子學到他所傾慕的漢文化知識，而更重要的是他自身有著不同于一般滿清貴族紈絝子弟的遠大理想和高尚人格，這就顯然使得他的舉動背離了社會主流，從而成爲後世的一個研究焦點。

一六七四年，納蘭性德二十歲時，娶兩廣總督盧興祖之女爲妻，賜淑人。是年盧氏年方十八，「生而婉孌，性本端莊」。成婚後，夫妻二人恩愛有加，感情篤深，新婚美滿生活激發他的詩詞創作。但是僅三年，盧氏因產後受寒而亡，這給納蘭性德造成極大痛苦，從此「悼亡之吟不少，知己之恨尤深」。沈重的精神打擊使他在以後的悼亡詩詞中一再流露出哀惋凄楚的不盡相思之情和悵然若失的懷念心緒。納蘭性德後又續娶關氏，並有側室顏氏。值得一提的是，納蘭性德三十歲時，在好友顧貞觀的幫助下，納江南才女沈宛。沈宛，字御蟬，浙江烏程人，著有《選夢詞》。集中悼亡之作「豐神不減夫婿」。可惜她在與納蘭性德相處一年之後，納蘭性德就去世了，這段短暫的愛情又以悲劇告終。納蘭性德作爲一代風流才子，他的愛情生活因而被後人津津樂道，也有捕風捉影的各種市井流言，最爲盛傳的是表妹入宮一事，但終不可考。

詩人落拓無羈的性格，以及天生超逸脫俗的秉賦，加之才華出衆，功名輕取的瀟灑，與他出身豪門，鐘鳴鼎食，入值宮禁，金階玉堂，平步宦海的前程，構成一種常人難以體察的矛盾感受和無形的心理壓抑。加之愛妻早亡，後續難圓舊時夢，以及文學摯友的聚散，使他無法擺脫內心深處的困惑與悲觀。對職業的厭倦，對富貴的輕看，對仕途的不屑，使他對凡能輕取的身外之物無心一顧，但對求之卻不能長久的愛情，對心與境合的自然和諧狀態，他卻流連向往。他于康熙二十四年暮春，抱病與好友一聚，一醉，一詠三嘆，然後便一病不起，七日後于五月三十日溘然而逝。

納蘭性德雖然祇有短短三十一年生命，但他卻是清代享有盛名的大詞人之一。在當時詞壇中興的局面下，他與陽羨派代表陳維崧、浙西派掌門朱彝尊鼎足而立，並稱「清詞三大家」。然而與之區別的是，納蘭性德是入關不久的滿族顯貴，能夠對漢族文化掌握並運用得如此精深，是不得不令人大爲稱奇的。

納蘭性德詞作現存三百四十八首（一說三百四十二首），內容涉及愛情友誼、邊塞江南、詠物詠史及雜感等方面。儘管以作者的身份經歷，他的詞作數量不多，眼界也並不算開闊，但是由于詩緣情而旖旎，而納蘭性德是極爲性真的人，因而他的詞作盡出佳品，備受當時及後世好評。近代著名學者王國維就給其極高贊揚：「納蘭容若以自然之眼觀物，以自然之舌言情。此由初入中原未染漢人風氣，故能真切如此。北宋以來，一人而已。」而況周頤也在《蕙風詞話》中譽其爲「國初第一詞手」。

納蘭性德詞作先後結集爲《側帽》《飲水》，後人多稱納蘭詞。縱觀納蘭性德詞風，清新雋秀、哀感頑艷，頗近南唐後主。而他本人也十分欣賞李煜，他曾說：「花間之詞如古玉器，貴重而不適用；宋詞適用而少貴重，李後主兼而有其美，更饒煙水迷離之致。」

五三

陸放翁跋《花間集》謂：「唐季五代，詩愈卑，而倚聲者輒簡古可愛。能此不能彼，未可以理推也。」《提要》[①]駁之，謂：「猶能舉七十斤者，舉百斤則蹶，舉五十斤則運掉自如。」其言甚辨。然謂詞格必卑于詩，余未敢信。善乎陳臥子[②]之言曰：「宋人不知詩而強作詩，故終宋之世無詩。然其歡愉愁苦之致，動于中而不能抑者，類發于詩餘，故其所造獨工。」五代詞之所以獨勝，亦以此也。

注釋

①《四庫全書總目綱要》「花間集」條云：「後有陸游

陳子龍

陳子龍（一六〇八—一六四七），初名介，字臥子、懋中、人中，號大樽、海士、軼符等，明末文學家。他的詞風格婉約，被後代眾多著名詞評家譽爲「明代第一詞人」。

二跋……其二稱『唐季五代，詩愈卑，而倚聲輒簡古可愛。能此不能彼，未可以理推也』，不知文之體格有高卑，人之學力有強弱，學力不足副其體格，則舉之不足；學力足以副其體格，則舉之有餘。律詩降于古詩，故中晚唐古詩多不工，而律詩則時有佳作，詞又降于律詩，故五季人詩不及唐，詞乃獨勝，此猶能舉七十斤者，舉百斤則蹶，舉五十斤則運掉自如。有何不可理推乎？」

②陳卧子：陳子龍（一六〇八—一六四七），字卧子，號大樽，明末文學家，引語見《王介人詩餘序》。

今譯 陸游跋《花間集》謂：「唐季五代，詩愈卑，而倚聲者輒簡古可愛。能此不能彼，未可以理推也。」《提要》駁斥這種說法，認爲：「猶能舉七十斤者，舉百斤則蹶，舉五十斤則運掉自如。」這段話很有說服力。但是要說詞格必卑于詩，我不能相信。陳子龍的一段話很有道理：「宋人不知詩而強作詩，故終宋之世無詩。然其歡愉愁怨之致，動于中而不能抑者，類發于詩餘，故其所造獨工。」五代詞之所以特別優秀，也是因爲這個緣故。

評點·賞析 歷史上一直有一種對詞的偏見，這從對詞的一個很流行的稱呼上看就能看出來，把詞稱爲「詩餘」。造成這種情況的原因就是上面注釋中說的，很多學者認爲律詩比古體詩體格低下，詞又比律詩體格低下。五代學人學力弱于唐人，用于寫詩則不足，用于填詞則有餘，所以五代人詩不及唐人，詞卻特別優秀，也正是因爲這個原因，詞稱爲「詩餘」。早在北宋時期，蘇軾已經開始了提高詞的地位的努力，但是歷代文人一直被「文章小道」、詩尊詞卑、作詞休閑的觀點所約束。王國維先生也在爲此而努力，他先引用陳子龍的論點，認爲五代的詞之所以特別優秀是因爲它表達了真實的情感，在這一點上，它和唐詩是相同的，衹是表現的形式不同而已，因而根本無體格的高下之別，另一個很有說服力的觀點就是下面的文論，也即前面我們多次提到的詩詞的進化論觀點。

五四

四言敝而有楚辭，楚辭敝而有五言，五言敝而有七言，古詩敝而有律絕，律絕敝而有詞。蓋文體通行既久，染指遂多，自成習套。豪傑之士，亦難於其中自出新意，故遁而作他體，以自解脫。一切文體所以始盛終衰者，皆由於此。故謂文學後不如前，余未敢信。但就一體論，則此說固無以易也。

今譯 四言詩衰微而後有了楚辭，楚辭衰微而有了五言詩，五言詩衰微而後有了七言詩，古詩衰微了而後有了律絶，律絶衰微而後有了詞。一種文體流傳的時間久了，隨著人們運用它創作的數量增多，自然會形成俗套。即使是才華橫溢的作者，也很難從中自出新意，所以他們往往捨棄這種體裁而創作其他的體裁，以便自己從舊文體中解脫出來。一切文體之所以會始盛終衰，都是由于這個原因。所以如果說文學發展的水平是後代不如前代，我不能認同。但是就一種文學體裁而論，那麼這種說法實在是非常正確。

評點·賞析 這一條文論是王國維先生的文學發展觀，很有進化論的意味，因而也被冠以文學進化論的觀點，概括而言，這一觀點的主要內容是：一部文學史其實是各種文體前後相繼的文學發展演變史，舊的文體逐漸衰微，新的文體不斷湧現，從而使得文學整體的創作保持生機和活力，而就具

體每一種文學而言，也都經歷了發生、發展、興旺、衰落、死亡的過程，也就是他的《宋元戲曲考》中所說的「一代有一代之文學」；每種文體之所以經歷由盛到衰的過程是因爲在其興旺階段往往會形成創作的範式，久而久之就成爲一種陋習，從而喪失了最珍貴的創新精神；文學發展前進的動力是來自一部分傑出的作家，他們爲了打破這些陳規陋習而發展新的文體作爲抒發情感的手段，從而逐漸爲大家所接受，由此走上另一個由盛而衰的過程；就一種文體而言，它在興盛之後必定是衰落死亡，因而可以說是後不如前，但是如果在整個文學史中看的話，則不存在這樣的說法，因爲新文體不斷出現，也就總有新的成就，因而總體上看後代要超過前代。

這種觀點很有力地批駁了上面文論中所說的詩不如詞的觀點，但也有的學者對此持不同態度，並通過例證來說明有很多時候這種觀點是不能成立的。比如古詩敝而有律絶，而實際情況是唐代律絶興盛的同時古詩經過改進也取得了空前的成就，李白、杜甫、韓愈、白居易、李賀的許多名篇正是古

體詩。而詞在南宋走上衰微道路後卻在幾百年後的清代又出現了復興。對于這種情況，筆者認爲古體詩在唐朝的中興並取得了巨大的藝術成就並不能說明王國維先生的觀點的不正確，因爲有唐一代的文學之盛是空前的，不光古體詩取得了巨大的藝術成就，其他很多文體在唐代名家的手中都煥發了活力，因爲文體祇是抒情的載體，故而有唐一代的文學家可以選擇任何他們喜歡的體裁，但是總體而言，唐代律詩是主流，而且取得的藝術成就最高。詞在清代的中興道理也差不多，作爲最後一個封建王朝，它所繼承的體裁也是最多的，因而衆多文學家的選擇餘地也最大，清詞的藝術成就當然不容抹殺。但是一來它沒有五代北宋的宏大氣象，二來相對于清代的小說其藝術成就也不能與之相比，「回光返照」在這裏似乎比較恰當。

三百篇指詩經，詩經中共收有三百零五篇詩歌，故有此稱

五五

詩之三百篇、十九首①，詞之五代北宋，皆無題也。非無題也，詩詞中之意不能以題盡之也。自《花庵》②《草堂》③每調立題，並古人無題之詞亦爲之作題，如觀一幅佳山水，而即曰此某山某河，可乎？詩有題而詩亡，詞有題而詞亡。然中材之士，鮮能知此而自振拔者矣。

注釋 ①十九首：指古詩十九首，漢代人所作，最早見于蕭統所編的《文選》。②《花庵》：指《花庵詞選》，是一部詞總集，南宋黃升所編。③《草堂》：指《草堂詩餘》，詞總集，編者不詳。

今譯 《詩經》《古詩十九首》，以及五代、北宋時的詞，都沒有題目。這並不是說那些作品均爲「無題詩（詞）」，而是詩詞中的意義，沒法用題目概括。《花庵詞選》《草堂詩餘》兩部詞總集爲每首詞安排一個標題，甚至連本來沒有題目的作品也要如此。就像看一幅好的山水畫，就說這是某座山某條河這樣可以嗎？詩有了題目詩就消亡，詞有了題目詞就消亡了。但一般人很少能知道這個道理而振作起來。

評點·賞析 王國維先生的這一論斷其實還是秉承前面的文學的進化論而來的，每種文體在誕生之初，都是爲了作者抒情的需要，言爲心聲，用現在的話說就是「我手寫我心」，沒有太多的樊籬桎梏，因而這時的文體不用

加題目，縱使有也衹是爲了記錄而不是爲了限定，而文體向工巧的方向演進時，也就同時意味著桎梏的增多，這就需要作者們精心地雕琢，甚至在動筆之前必須對所寫之物瞭然于胸。這固然有好的一方面，但是另一方面卻也阻礙了它本該擁有的一種靈動的神韻，因而從這裏我們也可以說，加上題目其實意味著限定的增多，同時也就意味著一種文體開始走上工巧雕琢的標志，而這時候也就到了月圓之時，準備虧了。以詩詞爲例，詩詞中的意義，應該由文本本身來決定，不同的讀者對于文本所進行的不同的解讀，或者同一讀者對文本所進行的缺乏確定性的解讀，將賦予文學作品極大的彈性空間，而審美活動衹有在這樣的空間裏才能得到足夠的活力。如果文學作品被特定的題目所限制，那麼這種文字上的獨裁終將使對美的還原和再創造活動枯萎，循規蹈矩的想象力和教條式的美學原則將促使文學迅速地僵化並走向衰老。

五六

大家之作，其言情也必沁人心脾，其寫景也必豁人耳目。其辭脫口而出，無矯揉裝束之態。以其所見者真，所知者深也。詩詞皆然。持此以衡古今之作者，可無大誤矣。

今譯　名家高手的作品，言情一定會沁人心脾，寫景一定會讓人耳目開闊如臨其境。其辭脫口而出，真切自然，沒有雕琢斧鑿的痕跡。這是因爲他們觀察細緻真切，理解透徹深刻的原因。詩詞都是如此。用這一標準衡量古今的作者，基本上就不會有很大的偏差和失誤了。

評點·賞析　這則文論其實提出了文學評價的三個標準，與前面的許多文論都有相承的關係，如「故能寫真景物，真性情者，謂之有境界，否則謂之無境界」「大詩人所造之境，必合乎自然，所寫之境，亦必鄰于理想故也」「詞人之忠實，不獨對人對事亦然，即對一草一木，亦須有忠實之心」，從這裏我們不難發現，衹有發自內心的東西，才能夠感動別人。一部作品是對一個人靈魂的關照，衹有真誠地對待自己才能夠獲得心的共鳴。那些以游戲的態度對待自己作品的人，衹能成爲娛樂觀衆的小丑，是注定不會有流傳于世的作品的。

五七

人能於詩詞中不爲美刺投贈之篇，不使隸事之句，不用粉飾之字，則於此道已過半矣。

【今譯】如果寫詩塡詞時能夠不寫贊美譏諷、拜見贈答的應酬文字，不使用堆砌典故的句子，不追求華而不實的文字，那麼對作詩之道的理解就過半了。

【評點·賞析】這一條是緊承上一條而來的，贊美譏諷拜見贈答的文字不可能抒寫真切的感情，堆砌典故的句子和華而不實的文字所描繪的形象不可能鮮明生動，反而失去了自然天成的美感，文學的美是自然的美，是超越功利的美。唯其有真情實感，方能接近文學美的本質；唯其有真情實感，方不拘執于瑣屑雕琢；唯其有真情實感，方能使文學與時俱進。須知，作爲文本的文學並非爲自己存在。

五八

以《長恨歌》之壯采，而所隸之事，只「小玉」「雙成」四字①，才有餘也。梅村②歌行，則非隸事不可。白、吳優劣，即於此見。不獨作詩爲然，塡詞家亦不可不知也。

【注釋】①白居易《長恨歌》有「轉教小玉報雙成」句。「小玉」，白居易曾在《霓裳羽衣舞歌》詩中自注爲吳王夫差女，晉人干寶《搜神記》中記載：夫差小女紫玉，愛慕韓重，不得成婚，氣結而死。韓重游學歸來，于其墓哀弔。玉現形，贈之明珠，並作歌。韓重欲抱之，玉如煙而沒。後代比喻少女去世遂有「紫玉成煙」之語。「雙成」，董雙成，傳說中西王母的侍女。《漢武帝內傳》中記載：雙成煉丹宅中，丹成得道，自吹玉簫，駕鶴飛昇。這裏用「小玉」「雙成」來指代太真（楊貴妃）侍女。②梅村：吳偉業（一六〇九—一六七一），字駿公，號梅村，江蘇太倉人。崇禎進士，明亡後被迫仕清，其以遺民身份轉仕新朝的經歷成爲他人生的最大悲劇，他因此而遭世譏貶，終生抱愧，舉世無親，詩歌成爲他的寄託，感慨興亡和悲嘆失節是他吟詠的主要內容。他的七言歌行體詩極爲著名，被號爲「梅村體」。他的名作《圓圓曲》《永和宮詞》中用典很多，後人以堆砌病之。

今譯 以《長恨歌》悲壯的氣勢，飛揚的文采，而其中引用典故的地方，衹有「小玉雙成」四個字，這是因爲白居易的文學之才綽綽有餘。而吴偉業的歌行，似乎沒有典故就無法成文。白、吴的優劣，可以由此看出。這一點不僅作詩時需要注意，填詞的人也應當引以爲戒。

評點·賞析 隸事即用典，在前面我們已經系統地分析過這個問題，故而這裏不再重述，但是值得注意的是，王國維此段意在説明文學當以抒寫爲主，不當以堆砌爲能。其對吴偉業的看法其實別有論斷，他的《致豹軒先生函》中説：「蓋白傅能不使事，梅村則專以使事爲工。然梅村自有雄氣駿骨，遇白描處尤有深味。」可見王國維先生對其文學成就還是給予了充分的肯定的。

五九

近體詩體制，以五、七言絶句爲最尊，律詩次之，排律[1]最下。蓋此體於寄興言情兩無所當，殆有韻之駢體文[2]耳。詞中小令如絶句，長調似律詩，若長調之《百字令》《沁園春》等，則近於排律矣。

注釋 ①排律：律詩超過八句的叫長律，又叫排律。排律一般都是五言詩，除首、尾兩聯外，中間各聯均須對仗。②駢體文：駢體文是受漢代辭賦的影響而逐漸形成的一種特殊文體，它講究對仗、用典和藻飾，句式多用四字句和六字句。魏晉時期開始形成，南北朝時成爲文章的正宗。唐代「古文」復興，遂稱其爲「時文」以與「古文」相對，因爲其句式特點，在晚唐時又被稱爲「四六」或「四六文」，明代一直沿用這個名稱，清代則稱其爲「駢體文」。

今譯 近體詩的體制，以五言和七言絶句爲最高，律詩次一等，排律最低下，這種體制對于寄託興致抒發感情兩者都不合適，近似有韻的駢體文，詞裏的小令像絶句，長調像律詩，至于長調的《百字令》《沁園春》等，就接近排律了。

評點·賞析 這一文論論述的是近體詩和詞的各種體制也即體裁的尊卑高下之分，前面我們已經説過，王國維先生認爲詩和詞的體格並沒有高下之分，這裏提出的觀點是詩詞中的各種體制則有高下的分別，這是因爲詩歌是一種寄興言情的文體，詩歌的語言極爲精練，這就決定了它們體裁的短小。詩歌應當具有真摯的情感，這又決定了它們不能受到過多格律的限制。五排這種體裁，將詩歌的句數擴大，並且每個句子都要遵從格律的要求，詩人在這種約束之下，必然要以放棄自己的靈感爲代價，這就像駢體文因爲過分追求對仗和辭藻的華麗而流于形式一樣，會導致內容的空虛和藝術活力的喪失。雖然有些名家能夠很好地駕馭長律、長調和駢文等體裁，但是它們的消極意義仍是無可回避的。

六十

詩人對宇宙人生，須入乎其內，又須出乎其外。入乎其內，故能寫之。出乎其外，故能觀之。入乎其內，故有生氣。出乎其外，故有高致。美成能入而不出。白石以降，於此二事皆未夢見。

今譯 詩人對于自然人生，既要入乎其內，又要出乎其外。入乎其內，才能把它描寫出來。出乎其外，才能夠觀察它。入乎其內，因此才有生氣。出

乎其外，因此才有高致。周邦彥能入乎其內但是不能出乎其外。姜夔以後的詞人，對于這兩種情況根本想都沒想過。

評點·賞析 詩人必須有一種超然的眼光，必須能夠俯瞰世界萬物，這樣才能把握住深刻並且具有永恆意義的美。同時，詩人也必須能夠忘卻自己的身份，擁有平視和內省的眼光，真切地體會世界萬物，與它們融合無間，這樣才能夠使美變得真實而且細膩。

這裏王國維先生還又提及了周邦彥，結合前面已有的分析，我們不難發現，「不失爲第一流之作者」的周邦彥擅長的是「言情體物，窮極工巧」，可謂入乎其內深矣，而他的「旨蕩」的品格，導致其過度沈溺于「內」而不能自拔，從而使得詞中缺少了一種「高致」，也即「創意之才少」，先生對周邦彥的分析不可謂不透徹。

六一

詩人必有輕視外物之意，故能以奴僕命風月。又必有重視外物之意，故能與花鳥共憂樂。

今譯 詩人必須要有輕視外物之意，所以才能像對待奴僕一樣使役風月。又必須有重視外物之意，這樣才能與花鳥魚蟲共憂樂。

評點·賞析 這條文論和上條一樣，還是在論述詩人與自然人生的關係，詩人要敢于駕馭自然之物，充分發揮自由創造的主動性，同時又必須把情感移注于自然之物中，以自然之物爲依託，感受生活，融化生活，從而達到物我兩忘的境界。

六二

「昔爲倡家女，今爲蕩子婦。蕩子行不歸，空床難獨守。」[1]「何不策高足，先據要路津。無爲久貧賤，轗軻長苦辛。」[2]可謂淫鄙之尤。然無視爲淫詞、鄙詞者，以其真也。五代北宋之大詞人亦然。非無淫詞，讀之者但覺其親切動人。非無鄙詞，但覺其精力彌滿。可知淫詞與鄙詞之病，非淫與鄙之病，而游詞[3]之病也。「豈不爾思，室是遠而。」而子曰：「未之思也，夫何遠之有？」[4]惡其游也。

注釋 ①《古詩十九首》之二：青青河畔草，鬱鬱園中柳。盈盈樓上女，皎皎當窗牖。娥娥紅粉妝，纖纖出素手。昔爲倡家女，今爲蕩子婦。蕩子行不歸，空床難獨守。②《古詩十九首》之四：今日良宴會，歡樂難具陳。彈箏奮逸響，新聲妙入神。令德唱高言，識曲聽其真。齊心同所願，含意俱未申。人生寄一世，奄忽若飆塵。何不策高足，先據要路津。無爲守窮賤，轗軻長苦辛。③游詞：金應珪《詞選後序》：「規模物類，依託歌舞。哀樂不衷其性，慮嘆無與乎情。連章累篇，義不出乎花鳥。感物指事，理不外乎酬應，雖既雅而不艷，斯有句而無章，是謂游詞。」④《論語·子罕》：「唐棣之花，偏其反而。豈不爾思，室是遠而。子曰：未之思也，夫何遠之有？」

今譯 「昔爲倡家女，今爲蕩子婦。蕩子行不歸，空床難獨守。」「何不策高足，先據要路津。無爲久貧賤，轗軻長苦辛。」這樣的詩可以說極爲淫鄙。但是歷來並沒有被視爲淫詞、鄙詞，這是因爲它們感情真摯。五代北宋的大詞人也是這樣。他們並非沒有淫詞，但是讀起來衹覺得真摯動人。他們並非沒有鄙詞，但是讀起來衹覺得精力彌滿。由此可知，淫詞與鄙詞之病，並非是由于淫與鄙造成的，其弊病在于游詞。「豈不爾思，室是遠而。」而孔子說：「未之思也，夫何遠之有？」是孔子也厭惡它的虛僞。

評點·賞析 「昔爲倡家女，今爲蕩子婦。蕩子行不歸，空床難獨守」，表現的是女子難以克制的情欲。「何不策高足，先據要路津。無爲久貧賤，轗軻長苦辛」，表現的是詩人在宴飲的時候不甘貧窮而生發出的權錢方面的要求。這些詞從思想方面上評價的話確實是「淫鄙之尤」，但是這兩首詩中，有著人的生命力的衝動，真摯至極而沒有一絲做作虛僞的成分。與之相對的是情不真的作品，被王國維先生貶爲「游詞」：「哀樂不衷其性，慮嘆無與乎情。」也就是我們所說的無病呻吟。

王國維先生的可貴之處在于，作爲一位國學大師，他能成功地擺脫程朱理學的桎梏，不用道德家的有色眼鏡觀人照物，對自然的、本真的一切都有一種純真的藝術敏感性，結合當代許多學人作的評論，那些道德家的嘴臉在王國維先生面前沒有理由不感到慚愧。

六三

「枯藤老樹昏鴉。小橋流水平沙①。古道西風瘦馬。夕陽西下。斷腸人在天涯。」此元人馬東籬②《天淨沙》小令也。寥寥數語，深得唐人絕句妙境。有元一代詞家，皆不能辦此也。

注釋

①這裏據《歷代詩餘》，通行的版本都作「小橋流水人家」。②馬東籬：馬致遠，（約一二五〇—約一三二一），字千里，號東籬，大都（今北京）人，元代著名散曲家和戲曲家。

今譯

「枯藤老樹昏鴉。小橋流水平沙。古道西風瘦馬。夕陽西下。斷腸人在天涯。」這是元人馬致遠的《天凈沙》小令，雖然衹有寥寥數語，卻深得唐人絕句的美妙境界，整個元代的詞人都做不到這一點。

評點·賞析

這是一首睹物懷鄉思人的千古絕唱，通過一幅近乎白描的深秋景象，蕭瑟的秋風、古道上的瘦馬、行者凄楚的面容都歷歷如在眼前。這一切給人以強烈的感染，讀者不自覺地就移情爲作者，從而體驗到那種柔腸寸斷的絕望。

所謂唐人絕句妙境，就是指用經濟的語言描繪出生動的事物形象，通過概括而巧妙的藝術構思，寫出複雜而深厚的情感。國維先生此論可謂一語中的。

六四

白仁甫①《秋夜梧桐雨》②劇，沈雄悲壯，爲元曲冠冕。然所作《天籟詞》③，粗淺之甚，不足爲稼軒奴隸。豈創者易工，而因者難巧歟？抑人各有能有不能也？讀者觀歐秦之詩遠不如詞，足透此中消息。

注釋

①白仁甫：白樸（一二二六—約一三〇六），字仁甫，一字太素，號蘭谷，元代著名戲曲家。②《秋夜梧桐雨》：《梧桐雨》，全名是《唐明皇秋夜梧桐雨》，是元雜劇的代表作之一，取材于唐人陳鴻的小說《長恨歌傳》，描寫的是唐明皇李隆基和楊貴妃的悲劇故事。③《天籟詞》：白樸的詞集《天籟集》。

今譯

白樸的《秋夜梧桐雨》雜劇，沈雄悲壯，奇思壯采，是元雜劇中最優秀的作品之一。但是他的詞《天籟詞》卻粗淺到了極點，連當辛棄疾的奴僕都不合格。豈不是獨創的易于工緻，而因襲的難以巧妙？也許是擅長這種文體的不擅長那種文體？讀者看到歐陽修和秦觀的詩遠不如詞，也正透露出此中的消息。

評點·賞析 多數學者認爲此篇文論太有失偏頗，因爲白樸的詞篇篇皆自肺腑流出，率意而爲，真實自然，具有獨特的藝術價值，有興趣的讀者可以自己讀一下。

附錄一：人間詞話未刊稿及刪稿

一

白石之詞，余所最愛者亦僅二語，曰：「淮南皓月冷千山，冥冥歸去無人管。」①

注釋 ①姜夔《踏莎行》：（自沔河東來，丁未元日，至金陵，江上感夢而作。）燕燕輕盈，鶯鶯嬌軟，分明又向華胥見。夜長爭得薄情知？春初早被相思染。 别後書辭，别時針綫，離魂暗逐郎行遠。淮南皓月冷千山，冥冥歸去無人管。

今譯 姜夔的詞，我最喜歡的衹有兩句，即「淮南皓月冷千山，冥冥歸去無人管。」

二

雙聲、疊韻之論盛於六朝，唐人猶多用之。至宋以後則漸不講，並不知二者爲何物。乾嘉①間，吾鄉周松靄先生春②著《杜詩雙聲疊韻譜括略》，正千餘年之誤，可謂有功文苑者矣。其言曰：「兩

詩中八病平頭上尾蜂腰鶴膝大韻小韻旁紐正紐

字同母謂之雙聲，兩字同韻謂之疊韻。」余按：用今日各國文法通用之語表之，則兩字同一子音者謂之雙聲。（如《南史·羊元保傳》之「官家恨狹，更廣八分」，官、家、更、廣四字，皆從k得聲。《洛陽伽藍記》之「獰奴慢駡」，獰、奴兩字，皆從n得聲。慢、駡二字，皆從m得聲也。）兩字同一母音者，謂之疊韻。（如梁武帝③「後牖有朽柳」，後、牖、有三字，雙聲而兼疊韻。有、朽、柳三字，其母音皆爲u。劉孝綽④之「梁皇長康強」，梁、長、強三字，其母音皆爲ian⑤也。）⑥自李淑⑦《詩苑》僞造沈約⑧之說，以雙聲疊韻爲詩中八病⑨之二，後世詩家多廢而不講，亦不復用之於詞。余謂苟於詞之蕩漾處用多疊韻，促節處用雙聲，則其鏗鏘可誦，必有過於前人者。惜世之專講音律者，尚未悟此也。

注釋

①乾嘉：乾隆（一七三六—一七九五），清高宗弘曆的年號；嘉慶（一七九五—一八二〇）清仁宗顒琰的年號。②周松靄先生春：周春，字屯兮，號松靄，清代學者。③梁武帝：名蕭衍（四六四—五四九），字叔達，南蘭陵（今江蘇常州）人。蕭衍博學能文，工書法，通樂律，篤信佛教，對梁朝文學的繁榮起過重要的作用。④劉孝綽（四八一—五三九）：本名冉，小字阿士，彭城（今江蘇徐州）人，南北朝時梁朝文學家。⑤ian：應爲iang。⑥葛立方《韻語陽秋·卷四》引陸龜蒙詩序：「疊韻起自梁武帝，云『後牖有朽柳』，當時侍從之臣皆倡和。劉孝綽云『梁王長康强』，沈休文云『偏眠船弦邊』，庾肩吾云『載碓每礙埭』，自後用此體作爲小詩者多矣。」⑦李淑：字獻臣，北宋人。⑧沈約（四四一—五一三）：字休文，吳興武康（今浙江省德清縣武康鎮）人，卒謚隱，故後人又稱他爲「隱侯」。沈約歷仕宋、齊、梁三朝，爲當時著名的文學家，對南朝永明體詩歌的興起起到了重要的作用。⑨詩中八病：指「平頭、上尾、蜂腰、鶴膝、大韻、小韻、旁紐、正紐」，傳說爲沈約所提出，後人對此頗有疑義，其具體所指亦不得而知。

今譯

雙聲、疊韻的理論在六朝的時候很是興盛，唐朝時還經常使用。

到宋朝以後就逐漸不再談論它了，甚至連雙聲疊韻是什麼都不知道。乾嘉期間，我的同鄉周春先生寫了一本《杜詩雙聲疊韻譜括略》，這本書澄清了歷時千餘年的誤會，可以說對文壇作出了巨大的貢獻。他在書中說：兩個字聲母相同叫做雙聲，兩個字韻母相同叫做疊韻。我認爲：用現在通行的語法術語來說，就是兩個字同一子音者謂之雙聲。（如《南史·羊元保傳》之「官家恨狹，更廣八分」，官、家、更、廣四字，皆從k得聲。《洛陽伽藍記》之「獰奴慢罵」，獰、奴兩字，皆從n得聲。慢、罵兩字，皆從m得聲。）兩個字同一母音者，謂之疊韻。（如梁武帝之「後牖有朽柳」，後、牖、有三字，雙聲而兼疊韻。有、朽、柳三字，其母音皆爲u。劉孝綽之「梁皇長康強」，梁、長、強三字，其母音皆爲ian。）自從李淑的《詩苑類格》僞造沈約的說法，以雙聲疊韻爲詩中八病之二，後世的詩家便不再講雙聲疊韻了，甚至不再用之于詞。我認爲如果能在詞的音律悠揚之處使用疊韻，音律急促之處用雙聲，那麼所寫之詞必然比前人音韻和諧，朗朗上口。可惜那些非常講究音律的作者，還沒有體悟到這一點。

三

世人但知雙聲之不拘四聲，不知疊韻亦不拘平、上、去三聲①。凡字之同母者，雖平仄有殊，皆疊韻也。

注釋

①我國古代的四聲指平、上、去、入四聲，由于語音的發展變化，入聲已經在普通話裏消失了將近七百年，以前應該讀入聲的字被分別派入了平、上、去三聲中。整個北方方言除江淮方言以及西北、西南少數地區還保存有入聲外，大部分地區已經沒有入聲，北方方言以外的六大方言倒是都還保留有入聲。即便如此，我們也無法根據現在保留下來的入聲去推斷古代入聲的調值，更無法通過分析派入平、上、去三聲中的入聲來推求古代入聲的讀音，更進一步來說，也許我們可以利用音韻學的知識對古代韻文中字詞的調類（即屬于四聲的哪一聲）進行大概地分析，但是古代四聲的調值（不僅是入聲），我們已經無從得知。因此，如果不是出于學術上的考慮，我們完全可以按照現在普通話

的四聲（即陰平、陽平、上聲、去聲）去區別平仄，以指導我們進行近體詩和詞曲的寫作。

今譯 世人衹知道雙聲這種情況可以不拘四聲，不知道疊韻同樣不拘平、上、去三聲。兩個字衹要是聲母相同，即使平仄不同，也還是疊韻。

四

詩至唐中葉以後，殆爲羔雁①之具矣。故五代北宋之詩，佳者絕少，而詞則爲其極盛時代。即詩詞兼擅如永叔、少游者，詞勝於詩遠甚。以其寫之於詩者，不若寫之於詞者之真也。至南宋以後，詞亦爲羔雁之具，而詞亦替矣。此亦文學升降之一關鍵也。

注釋 ①羔雁：小羊和雁。本指卿大夫相見時所帶的禮物。《禮記·曲禮》記載：「凡摯，天子鬯，諸侯圭，卿羔，大夫雁。」後用作徵聘賢士的禮品，亦用作訂婚的禮物。羔雁之具，指禮聘應酬之物。

今譯 詩歌到了唐朝中葉以後，已經成爲應酬之物。所以五代和北宋好

詩極少，而詞卻極爲繁榮。即使像歐陽修、秦觀這樣既善于寫詩又善于塡詞的作家，他們的詞也遠比他們的詩要好。因爲他們所寫的詩不如他們所寫的詞真實自然。到南宋以後，詞也成爲了應酬之物，于是詞也開始沒落了。這同樣也是文學盛衰的關鍵。

五

曾純甫中秋應制，作《壺中天慢》詞，自注云：「是夜，西興亦聞天樂。」謂宮中樂聲聞於隔岸也。毛子晉謂：「天神亦不以人廢言。」近馮夢華復辨其誣。不解「天樂」二字文義，殊笑人也。

今譯 曾覿中秋應制詞《壺中天慢》的自序說：「今天夜裏西興也聽到了天樂。」這句話是說宮中的音樂聲在隔岸也能聽到。毛晉以爲是「天神亦不以人廢言」。近人馮煦也指出了他的錯誤，毛晉不了解「天樂」二字文義，實在是可笑。

六

梅溪、夢窗、玉田、草窗①、西麓②諸家，詞雖不同，然同失之膚

淺。雖時代使然，亦其才分有限也。近人棄周鼎而寶康瓠③，實難索解。

注釋　①草窗：周密（一二三二—約一二九八），字公謹，號草窗，又號蕭齋、弁陽嘯翁、四水潛夫，先世濟南，流寓吳興（今浙江湖州）。生平以漫游吟詠爲樂。宋亡前曾爲義烏縣令。宋亡後隱居不仕，專心收集整理故國文獻，撰成多種野史筆記。周密的詞格律嚴謹，字句精美，宋亡前的作品意趣醇雅，宋亡後每多故國之思，情致凄苦幽咽。周密與吳文英（吳夢窗）交往密切，詞風也受其影響，故與之並稱爲「二窗」。②西麓：陳允平（約一二〇五—約一二五八），字君衡，號西麓，南宋詞人。③康瓠：空壺，破瓦壺，比喻庸才。語出賈誼《弔屈原賦》：「斡棄周鼎，寶康瓠兮。騰駕罷牛，驂蹇驢兮。驥垂兩耳，服鹽車兮。」據《史記·屈原賈生列傳》，此賦亦見《漢書·賈誼傳》。後辛棄疾《水調歌頭》詞曰：「歌秦缶，寶康瓠，世皆然。」

今譯　史達祖、吳文英、張炎、周密、陳允平等人，詞雖不同，但是同樣失之膚淺。雖然是因爲他們所處的時代風氣如此，但是也要看到他們的文才確實有限。近人捨棄真正的大家而推崇這些平庸之才，實在是令人費解。

七

余填詞不喜作長調①，尤不喜用人韻。偶爾游戲，作《水龍吟》②詠楊花用質夫③、東坡倡和韻，作《齊天樂》④詠蟋蟀用白石韻，皆有與晉代興之意。余之所長殊不在是，世之君子寧以他詞稱我。

注釋　①長調：前人把詞分爲小令、中調、長調三類，以五十八字以內爲小令，五十九字到九十字爲中調，九十一字以外爲長調。②王國維《水龍吟·楊花》：（用章質夫蘇子瞻唱和韻）

開時不與人看，如何一霎濛濛墜。日長無緒，迴廊小立，迷離情思。細雨池塘，斜陽院落，重門深閉。正參差欲住，輕衫掠處，又特地因風起。　花事闌珊到汝，更休尋、滿枝瓊綴。算人祇合，人間哀樂，者般零碎。一樣飄零，寧爲塵土，勿隨流水。怕盈盈、一片春江，都貯得離人淚。③質夫：章楶，字質夫，與蘇軾同官京師。他詠楊花的《水龍吟》是當時的一首名作。④王國維《齊天樂》：（用姜石帚原韻）天涯已自愁秋極，何須更聞蟲語。乍響瑤階，旋穿繡闥，更入畫屏深處。喁喁似訴。有幾許哀絲，佐伊機杼。一夜東堂，暗抽離恨萬千緒。　空庭相和秋雨。又南城罷柝，西院停杵。試問王孫，蒼茫歲晚，那有閑愁無數。宵深謾與。怕夢穩春酣，萬家兒女。不識孤吟，勞人床下苦。

今譯　我不喜歡寫長調的詞，尤其不喜歡用別人的韻。偶爾游戲之作，如《水龍吟》詠楊花用章楶和蘇軾唱和詞的韻，《齊天樂》詠蟋蟀用姜夔詞的韻，都是想與原作比試一下。實際上我的長處實在不在于此，我寧願大家用其他的詞來評價我。

八

余友沈昕伯紘①自巴黎寄余《蝶戀花》一闋云：「簾外東風隨燕到。春色東來，循我來時道。一霎圍場生綠草，歸遲卻怨春來早。

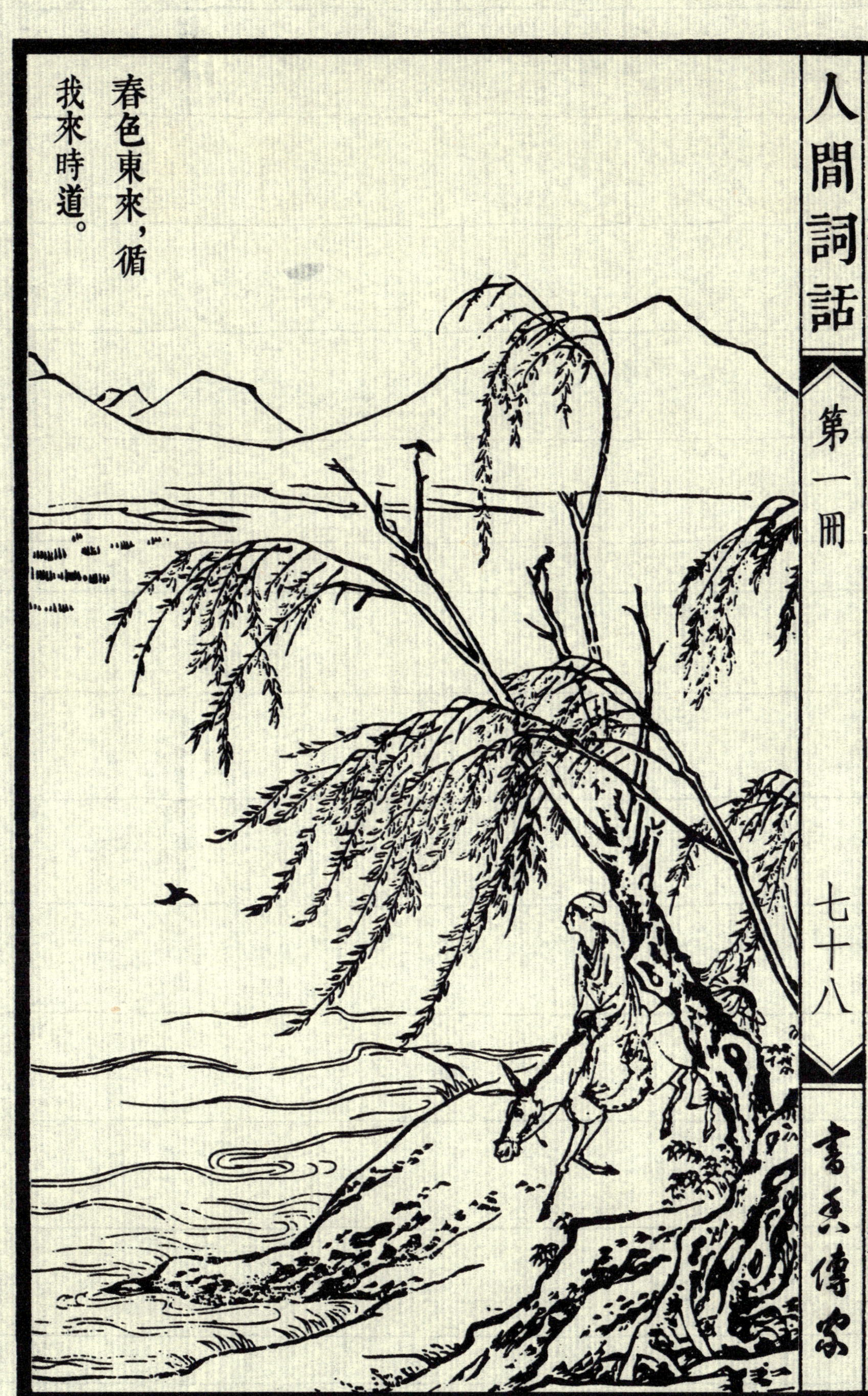

錦繡一城春水繞。庭院笙歌，行樂多年少。著意來開孤客抱，不知名字閑花鳥。」此詞當在晏氏父子間，南宋人不能道也。

注釋 ①沈昕伯紘：沈紘，字昕伯（？—一九一八）浙江桐鄉人，王國維先生在東文學社就學時的同學。

今譯 我的朋友沈昕從巴黎寄給我一首《蝶戀花》：「簾外東風隨燕到。春色東來，循我來時道。一霎圍場生綠草，歸遲卻怨春來早。 錦繡一城春水繞。庭院笙歌，行樂多年少。著意來開孤客抱，不知名字閑花鳥。」這首詞的水平應當在晏殊父子之間，是南宋人所寫不出來的。

九

樊抗夫①謂余詞如《浣溪沙》之「天末同雲」、《蝶戀花》之「昨夜夢中」「百尺高樓」「春到臨春」②等闋，鑿空而道，開詞家未有之境。余自謂才不若古人，但於力爭第一義處，古人亦不如我用意耳。

注釋 ①樊抗夫：樊炳清，字抗夫，浙江山陰人，王國維先生在東文學社就學時的同學。王國維先生託名爲《人間詞》甲乙兩稿作序的「山陰樊志厚」就是樊炳清，他二人加上沈伯紘並稱爲東文學社的「三君子」。②王國維《浣溪沙》：天末同雲黯四垂，失行孤雁逆風飛。江湖寥落爾安歸？ 陌上金丸看落羽，閨中素手試調醯。今朝歡宴勝平時。

王國維《蝶戀花》：昨夜夢中多少恨。細馬香車，兩兩行相近。對面似憐人瘦損，衆中不惜搴帷問。 陌上輕雷聽隱轔。夢裏難從，覺後那堪訊？蠟淚窗前堆一寸，人間祇有相似分。

王國維《前調》：百尺朱樓臨大道。樓外輕雷，不間昏和曉。獨倚闌干人窈窕，閑中數盡行人小。 一霎車塵生樹杪。陌上樓頭，都向塵中老。薄晚西風吹雨到，明朝又是傷流潦。

王國維《前調》：春到臨春花正嫵。遲日闌干，蜂蝶飛無數。誰遣一春拋卻去，馬蹄日日章臺路。 幾度尋春春不遇。不見春來，那識春歸處？斜日晚風楊柳渚，馬頭何處無飛絮。

今譯 樊抗夫說我的詞像《浣溪沙》中的「天末同雲」、《蝶戀花》的「昨夜夢中」「百尺高樓」「春到臨春」等，獨辟蹊徑，爲前人所未道。我自認爲文才不如古人，但是在力求創新這方面，古人也不如我竭盡全力。

十

叔本華①曰：「抒情詩，少年之作也。敘事詩及戲曲，壯年之作也。」余謂：抒情詩，國民幼稚時代之作也。敘事詩，國民盛壯時代之作也。故曲則古不如今。（元曲誠多天籟，然其思想之陋劣，佈置之粗笨，千篇一律令人噴飯。至本朝之《桃花扇》②《長生殿》③諸傳奇，則進矣。）詞則今不如古。蓋一則以佈局爲主，一則須佇興而成故也。

注釋 ①叔本華（一七八八—一八六〇）：德國唯意志論哲學家。其哲學、美學思想極大地影響了王國維。本文所引內容出自《作爲意志和表象的世界》：少年人僅僅衹適于作抒情詩，並且要到成年人才適于寫戲劇，至于老年人，最多衹能想象他們是史詩的作家。②《桃花扇》：清代傳奇，作者孔尚任（一六四八—一七一八），字聘之，又字季重，號東塘、岸堂，自稱雲亭山人，晚年又稱桃花詞隱。山東曲阜人。孔子六十四代孫。③《長生殿》：清代傳奇，作者洪昇（一六四五—一七〇四），字昉思，號稗畦，又號稗村、南屏樵者，錢塘（今浙江杭州）人。

今譯 叔本華說：抒情詩是少年時期的寫作，敘事詩和戲曲是壯年時的寫作。我認爲：抒情詩是國民處于幼稚期的作品，敘事詩是國民處于盛壯期的作品。因此，對于戲曲來說，古代的不如現代的。（元曲當中確實有很多好作品，但是它們大都思想陋劣、情節安排粗笨、形式千篇一律，令人譏笑。到了本朝，產生了《桃花扇》《長生殿》這樣的作品，比以前高明多了。）然而對于詞來說，現代的不如古代的。因爲前者著重于情節的設計，後者則著重于對靈感的捕捉。

一一

北宋名家以方回①爲最次。其詞如歷下②、新城③之詩，非不華

瞻，惜少真味。至宋末諸家，僅可譬之腐爛制藝④，乃諸家之享重名者且數百年，始知世之幸人不獨曹蜍、李志⑤也。

注釋 ①方回：賀鑄（一〇五二—一一二五），字方回，自號慶湖遺老，共州衛城（今河南輝縣）人。賀鑄長相奇醜，身長七尺，眉目聳拔，面鐵色，俗謂之「賀鬼頭」。然而其人才兼文武，豪俠尚氣，博聞强識，可惜終生沈淪下僚，鬱不得志。賀鑄的詞，一方面充滿英雄豪俠的激情，一方面又具有多情公子的深婉。他長于造語，自然天成，有唐人風味。其《青玉案》（凌波不過横塘路）中的名句「若問閑情都幾許。一川煙草，滿城飛絮，梅子黄時雨」爲他贏得了「賀梅子」的雅號。②歷下：李攀龍（一五一四—一五七〇），字于鱗，號滄溟，歷城（今山東歷城）人。明代文學家，「後七子」之一。著有《滄溟集》三十卷。③新城：王士禎（一六三四—一七一一），字貽上，號阮亭，別號漁陽山人，新城（今山東桓臺）人，出身世家大族，少年時即以詩名，論詩主「神韻説」，爲清初詩壇盟主，著有《帶經堂全集》。④制藝：又稱制義、時文，即明清之際科舉考試的八股文。⑤宋代劉義慶《世説新語》中記載：庾道季云：「廉頗、藺相如雖千載上死人，懔懔恒如有生氣；曹蜍、李志雖見在，厭厭如九泉下人。」

今譯 北宋著名詞人中以賀鑄爲最次，他的詞如同李攀龍和王士禎的詩，並非文辭不華美富麗，可惜缺少真情實感。至于南宋末年的諸位詞人，僅能以之比爲腐朽的八股文。然而這些人數百年來一直受人推重，現在才知道世界僥幸得名的人，並不僅僅是曹蜍、李志之輩。

一二

散文易學而難工，駢文難學而易工。近體詩易學而難工，古體詩難學而易工。小令易學而難工，長調難學而易工。

今譯 散文容易學但是難以寫得工緻，駢文難學卻容易寫得工緻。近體詩容易學但是很難寫得工緻，古體詩難學卻容易寫得工緻。小令容易學但是很難寫得工緻，長調難學卻容易寫得工緻。

贍，惜少真味。至宋末諸家，僅可譬之腐爛制藝⑥，乃諸家之享重名者且數百年，始知世之幸人不獨曹蜍、李志⑤也。

【註】①方回：賀鑄（一〇五二—一一二五），字方回，自號慶湖遺老，共州衛城（今河南輝縣）人。賀鑄長相奇醜，身長七尺，眉目聳拔，面鐵色，俗謂之「賀鬼頭」。然而其人才兼文武，豪俠尚氣，博聞強識，可惜終生沉淪下僚，鬱不得志。賀鑄的詞，一方面充滿英雄豪俠的激情，一方面又具有多情公子的深婉。他長于造語，自然天成，有唐人風味。其《青玉案》（凌波不過橫塘路）中語句「若問閑情都幾許，一川煙草，滿城風絮，梅子黃時雨」為時人所稱道，得「賀梅子」的雅號。②歷下：李攀龍（一五一四—一五七〇），字于鱗，號滄溟，歷城（今山東歷城）人。明代文學家，「後七子」之一。著有《滄溟集》三十卷。③新城：王士禎（一六三四—一七一一），字貽上，號阮亭，別號漁洋山人，新城（今山東桓臺）人，出身世家大族，少年時即以詩名。論詩主「神

韻說」，為清初詩壇盟主。著有《帶經堂全集》。④制藝：又稱制義、時文，即明清兩代科舉考試的八股文。⑤宋代劉義慶《世說新語》中記載：「庾道季云：『廉頗、藺相如雖千載上死人，懍懍恆如有生氣；曹蜍、李志雖見在，厭厭如九泉下人。』」

【評析】北宋著名詞人中以賀鑄為最次，他的詞如同李攀龍和王士禎的詩，並非文辭不華美富麗，可惜缺少真情實感。至于南宋末年的諸位詞人，僅能以之比為腐朽的八股文。然而這些人數百年來一直受人推重，更在于知道世界僥幸者的人，並不僅僅是曹蜍、李志之輩。

三

散文易學而難工，駢文難學而易工。近體詩易學而難工，古體詩難學而易工。小令易學而難工，長調難學而易工。

【譯文】散文容易學但是難以寫得工致，駢文難學亦容易寫得工致。近體詩容易學但是很難寫得工致，古體詩難學亦容易寫得工致。小令容易學但是很難寫得工致，長調難學亦容易寫得工致。